Dr. med. Delia Grasberger

Autogenes Training

GRUNDLAGEN DES AUTOGENEN TRAININGS

DAS SIEBEN-WOCHEN-PROGRAMM

AUTOGENES TRAINING GANZ GEZIELT

Zum Nachschlagen

GRUNDLAGEN DES AUTOGE- NEN TRAININGS

Das Autogene Training ist hierzulande der Klassiker unter den Entspannungsmethoden. Einfach zu erlernen und vielfältig anzuwenden, ist es für so gut wie jeden Menschen geeignet. Wenn Sie es erst einmal beherrschen, können Sie es für fast alles nutzen, was Sie in Ihrem Leben verändern möchten: kleine und größere körperliche Beschwerden lindern, Stress auflösen, Ihre Kreativität fördern, Ziele erfolgreich realisieren und vieles andere mehr! Alles, was Sie dazu brauchen, lernen Sie in diesem Buch.

YOGA DES WESTENS

Das Autogene Training kann Ihr Leben auf vielfältige Weise erleichtern. Es hilft Ihnen, körperliche Beschwerden zu lindern, Stress zu reduzieren, sich rundum zu entspannen. Sie können damit zudem auch Ihre Lebensziele leichter verwirklichen.

Sie wünschen sich, glücklich, gesund, stressfrei und erfolgreich zu sein? Es gibt eine gute Nachricht für Sie: Mittels Autogenen Trainings können Sie diesem Ideal ein gutes Stück näher kommen. Generationen von Menschen haben es vorgemacht, seit das »Yoga des Westens« Anfang des vorigen Jahrhunderts seinen Siegeszug als die am meisten anerkannte Entspannungsmethode unserer Zeit antrat. Bis heute wird es von einer breiten Gruppe von Medizinern und Therapeuten gelehrt und empfohlen, nicht zuletzt um die Folgen des so weit verbreiteten negativen Stresses zu lindern. Doch im Prinzip sind den Anwendungsmöglichkeiten des Autogenen Trainings keine Grenzen gesetzt.

Je nachdem, welchen Übungsgrad Sie erreicht haben, können Sie es einsetzen, um damit blitzschnell Energie und Kraft zu tanken, um massiven inneren Stress auszugleichen, körperliche Beschwerden zu lindern, Ängste abzubauen, Depressionen aufzuhellen oder Schlafstörungen zu beheben. Mit zunehmender Erfahrung können Sie das Autogene Training auch zur Stärkung Ihrer Persönlichkeit einsetzen, indem Sie sich auf gewünschte Verhaltensweisen hin »programmieren«, um damit Ihre Leistungsfähigkeit zu steigern, Ihre Kreativität zu wecken, sich besser zu konzentrieren oder bestimmte Ziele erfolgreich zu verwirklichen.

SO FUNKTIONIERT DAS AUTOGENE TRAINING

Das Autogene Training ist von Anfang an wirksam, es funktioniert gleich in der ersten Übungsstunde. Die Entspannungsmethode wirkt sich aber immer effektiver aus, je mehr Erfahrung Sie damit gesammelt haben. Zunächst geht es erst einmal darum, eine einfache Form der Selbsthypnose zu erlernen, in der Sie sich dann sozusagen selbst einen Auftrag erteilen.

Alle Übungen, wie auch die Anregungen in diesem Buch, bauen gezielt aufeinander auf, indem sie ein immer tieferes selbsthypnotisches Stadium herstellen. Sie haben aber auch einzeln ihren Wert, wie in Kapitel 2 genauer erläutert wird.

Die Grundübungen

Sie beginnen mit den sogenannten Grundübungen, bei denen Sie lernen, einen Zustand der Ruhe, Schwere und Wärme herzustellen. Mit der Ruhe beginnt die Entspannung; Schwere und Wärme führen bereits in einen leichten Trancezustand, der dem des Einschlafens ähnelt. Der Körper wird langsam schwer, die Muskulatur lockert sich, gleichzeitig lösen sich Verspannungen. Die Wärme sorgt für eine verstärkte Durchblutung des gesamten Körpers, wodurch gleichzeitig leichtere Beschwerden oder Probleme gelindert werden können.

In Abänderung der ursprünglichen Reihenfolge der Übungen lassen nun die meisten Autoren und Therapeuten – und so auch wir in diesem Buch – die Atemübung vor der Herzübung folgen. Viele Menschen finden über die Atmung nämlich einen besseren Einstieg in eine tiefere Entspannung, beim Herz kann es manchmal nicht gleich zu den gewünschten Ergebnissen kommen. Durch die Atemübung hingegen gelangt eigentlich jeder in eine noch tiefere Versenkung.

Die nachfolgenden Übungsteile führen dann auf eine kleine Reise durch den Körper: mithilfe der Puls- und Herzübung, der Bauch-raumübung und der Stirnkühleübung. Indem Sie sich so einen Zugang zu den Organen erschaffen, lernen Sie auch, diese gezielt zu steuern und im Bedarfsfall Beschwerden, wie beispielsweise Kopfschmerzen oder Magen-Darm-Probleme, zu lindern oder sogar zu beheben.

Die Rücknahme

Sie führen sich mit dem Autogenen Training selbst in eine leichte Hypnose, einen Zustand, in dem Ihr Körper und Ihr Geist besonders empfänglich für Suggestionen sind. Ähnlich wie nach einer Hypnose die hypnotisierte Person wieder aufgeweckt werden muss, ist es nach der Selbsthypnose des Autogenen Trainings notwendig, die sogenannte Rücknahme durchzuführen: Damit kommen Sie aus der tiefen Entspannung in den normalen Wachzustand zurück. Dies geschieht, indem Sie schrittweise die tiefe Entspannungsreaktion des Körpers wieder »zurücknehmen« – Sie werden ab Seite 22 erfahren, wie Sie das machen. Da die Rücknahme sehr wichtig ist, erlernen Sie sie gleich am Anfang, noch bevor Sie zu Vorsatzformeln und dem Visualisieren übergehen.

Die Vorsatzformeln

Im tiefen Entspannungszustand des Autogenen Trainings ist man in der Lage, direkt mit seinem Unbewussten zu kommunizieren. Mittels sogenannter Vorsatzformeln (der Begründer der Methode, Professor Johannes

Mit inneren Bildern gelangen Botschaften besonders leicht ins Unterbewusstsein.

Heinrich Schultz, siehe Seite 9, nannte sie »formelhafte Vorsatzbildungen«) kann man sich selbst hypnotische Weisungen erteilen, die vom Unbewussten direkt umgesetzt werden. Es sind gewissermaßen Aufträge, die man an sich selbst oder einzelne Bereiche des Körpersystems gibt und die in der entspannten Haltung leicht aufgenommen werden können. Sie reichen von der ganz einfachen Formel »Ich bin ruhig«, die jede Grundübung einleitet, bis hin zu komplexeren Inhalten wie »Ich trete morgen in dem Gespräch mit meinem Partner gelassen, aber bestimmt auf.« Zahlreiche weitere Beispiele für Vorsatzformeln finden Sie unter »Ihre geistige Hausapotheke« ab Seite 42 und unter »Übungen für Power und Erfolg« ab Seite 62.

Visualisieren

Das Unbewusste arbeitet viel mehr mit Bildern als mit Worten. Wie wir wissen, teilt es sich beispielsweise in Träumen mit. Umgekehrt ist es auch durch Bilder stärker ansprechbar. Beim Visualisieren werden deshalb im Entspannungszustand des Autogenen Trainings innere bildhafte Vorstellungen bewusst eingesetzt – damit kann man sich beispielsweise auf etwas Gewünschtes hin programmieren. Das kann das Idealgewicht sein, ebenso ein erwünschtes Verhalten, das man entwickeln beziehungsweise stärken möchte. Etwa: »Ich trete selbstbewusst und natürlich auf.« Mithilfe des Autogenen Trainings verinnerlichte Bilder und Sätze können dann auch im äußeren Leben recht schnell Wirklichkeit werden. Sie bereiten damit von innen her einen Wandel vor.

AUTOGENES TRAINING – EIN KIND DER HYPNOSE

Das Autogene Training ist aus der Hypnose entstanden, einer Methode, mit der Menschen gezielt beeinflusst werden können. Sie wurde so weiterentwickelt, dass sich jeder nun auch selbst in diesen tiefen und heilsamen Entspannungszustand versetzen kann.

Die Beeinflussung des Unbewussten ist keine Erfindung der Neuzeit. Bereits von jungstein-zeitlichen Heilern weiß man, dass sie Trance- und Ekstasetechniken einsetzten, um beispielsweise Krankheiten zu heilen. Eine genaue Anleitung zur Selbsthypnose findet sich schon im altägyptischen Demotisch-Magischen Papyros, wenngleich der Begriff Hypnose erst viel später geprägt wurde: nämlich von dem englischen Augenarzt James Braid, der um das Jahr 1843 die Möglichkeit aufgriff, Menschen durch gezielte Suggestionen nachweislich zu beeinflussen.

Um 1880 begann dann ein französischer Apotheker, Emile Coué, sich mit Hypnose zu beschäftigen. Viele Patienten suchten ihn in der Folge auf, aber er betonte immer wieder, dass er Ratsuchende lediglich unterstütze, sich selbst zu heilen. Er hatte aufsehenerregende Heilerfolge – teils bei Schwerkranken, denen zuvor niemand hatte helfen können. So fand seine Methode mit großem Erfolg Verbreitung. Bis heute gilt Coué vielen auch als Vater des Positiven Denkens.

DER VATER DES AUTOGENEN TRAININGS

Der eigentliche Begründer des Autogenen Trainings war hingegen der Hausarzt und spätere Nervenarzt Professor Johannes Heinrich Schultz (1884–1970). Er beschäftigte sich zunächst ausführlich mit der Hypnose und setzte sie in seinem Hypnoseinstitut in Breslau erfolgreich zur Heilung ein. Dabei studierte er genau die Abläufe, die sich während der Hypnosesitzung im Körper der Patienten abspielten. Übereinstimmend bekam er von ihnen die Rückmeldung, dass ihr Körper sich in der Hypnose schwerer anfühlte und von einer angenehmen Wärme durchströmt wurde. Schultz schlussfolgerte, dass die Schwere mit Muskelentspannung und die Wärme mit einer Erweiterung der Blutgefäße und damit einer guten Durchblutung gleichzusetzen sei. Er fand heraus, dass sich der Patient mit entsprechender Übung auch selbst in diesen Zustand der tiefen, tranceartigen Entspannung versetzen kann. Das ließ sich hervorragend nutzen, um den Menschen zu ermöglichen, sich selbst zu heilen: Schultz entwickelte seine Methode des autogenen, das heißt »selbsttätigen« Trainings.

AUSWIRKUNGEN AUF KÖRPER UND SEELE

Der vielleicht wichtigste Effekt des Autogenen Trainings – regelmäßiges Üben vorausgesetzt – ist, dass es uns physisch wie psychisch ins Gleichgewicht bringt. Das wiederum führt dazu, dass wir mit äußeren Belastungen gelassener umgehen können. Denn es hängt von unserer Einstellung ab, inwieweit wir äußeren zu innerem Stress werden lassen. Der gleiche Stressfaktor kann den einen in die höchste Alarmbereitschaft versetzen, während sich beim anderen nicht einmal der Puls verändert. Letzteren würden wir wohl einen »ausgeglichenen« Menschen nennen. Vielleicht gehört er zu den vielen Zeitgenossen, die das Autogene Training praktizieren?

Das autonome Nervensystem beeinflussen

Im Körper gibt es ein selbstständiges, »autonom« genanntes Nervensystem, das normalerweise unabhängig von unserem Bewusstsein und unserem Willen arbeitet und unter anderem die Tätigkeit sämtlicher Organe reguliert. Es unterteilt sich in zwei Regelkreise: einerseits in ein parasympathisches Nervengeflecht, das für die Erholung und Regeneration des Körpers zuständig ist, und andererseits in ein sympathisches Nervengeflecht, das den Körper beispielsweise in Stress- und Gefahrensituationen in erhöhte Leistungsbereitschaft versetzt. Dann werden vermehrt die Hormone Adrenalin und Noradrenalin ausgeschüttet, die dafür sorgen, dass Konzentration und Aufmerksamkeit gesteigert, die Muskeln angespannt, der Herzschlag erhöht, Hunger und Durst vorübergehend ausgeschaltet sowie Harn und Stuhlgang zurückgehalten werden. Für kurze Phasen der notwendigen Anspannung sind das alles durchaus nützliche Veränderungen in unserem System. Bei unserer modernen und oftmals hektischen Lebensweise übertreiben wir diese Seite allerdings. Steht der Körper dadurch ständig unter Stress und fehlen die Erholungsphasen, wird das Immunsystem geschwächt – und der Körper krank. Wird das sympathische Nervengeflecht ständig gefordert, verlernt der Körper überdies, das parasympathische Nervensystem überhaupt zu

Die Seele baumeln lassen – mit Autogenem Training entwickeln Sie Gelassenheit.

benutzen. Ständige Erschöpfung, Angst, Depression und Verspannungen, die mit Schmerzen einhergehen, können die unangenehme Folge sein.

Durch das Autogene Training lernen Sie, Einfluss auf Sympathikus und Parasympathikus zu nehmen, die auch in enger Beziehung zum Immunsystem stehen. Mit der Zeit können Sie, dann Anspannung und Entspannung immer besser selbst steuern. Gleichzeitig lernen Sie, einzelne Körperfunktionen zu regulieren, den Herzschlag, die Atmung, die Magen-Darm-Tätigkeit oder die Durchblutung der Muskulatur und der Haut und damit Ihren gesamten Wärmehaushalt. Durch diese Fähigkeit können Sie, wie Sie ab Seite 42 sehen werden, vielfältige Beschwerden und Krankheiten lindern. Die Veränderungen, die das Autogene Training im gesamten System bewirkt, lassen sich sogar messen: mit einem Biofeedbackgerät.

So reagiert die Seele auf das Autogene Training

Mithilfe des Autogenen Trainings versetzen Sie sich in einen tranceähnlichen Zustand und stellen einen direkten Kontakt mit Ihrem Unterbewusstsein her. Dadurch sind Sie zu einer Selbstbeeinflussung viel mehr in der Lage als im normalen Wachzustand. Ihnen stehen außerdem mehr Kraft und Energie zur Verfügung, und Sie können das Potenzial Ihres Gehirns besser einsetzen. Normalerweise nutzen wir nur zehn Prozent unserer Gehirnleistung, doch wenn wir mit dem Unbewussten arbeiten, können wir auch aus den restlichen 90 Prozent schöpfen.

Wie das sein kann? In Trance wird das bewusste Denken der Hirnrinde mit dem unbewussten Wissen der Intuition in den tieferen Gehirnstrukturen verknüpft. Wir erhalten dadurch einen direkten Zugang zu unserer Kreativität sowie zu den verschiedensten »verborgenen« beziehungsweise brachliegenden Fähigkeiten. Gleichzeitig können wir uns körperlich wie geistig schneller regenerieren, als dies üblicherweise der Fall ist.

WEM NUTZT DAS AUTO-GENE TRAINING?

Professor Schultz war der Ansicht, dass prinzipiell jeder das Autogene Training bereits ab dem vierten Lebensjahr erlernen kann. Er wünschte sogar, dass es an den Schulen gelehrt würde. Denn die Methode ist einfach, praktisch und vielseitig einsetzbar: egal ob Sie durch die Wüste wandern und sich Kühle suggerieren, ob Sie eine Rede halten müssen und sich Gelassenheit eingeben oder ob Sie

in einer schwierigen Situation ruhig und positiv reagieren wollen. Vor allem aber verhilft sie Ihnen zu einem immer entspannteren und gesünderen, freudigeren und erfolgreicheren Alltag – Sie müssen die Methode nur zuerst gründlich erlernen und dann regelmäßig anwenden.

WIE OFT ÜBEN?

Um mithilfe des Autogenen Trainings wirksam Ihr Leben zu verändern, brauchen Sie nicht länger als drei bis vier Wochen. Jede Botschaft, die Sie einen Monat lang täglich mehrfach hören oder sich selbst vorsagen, verankert sich fest in Ihrem Gehirn. Das Einstiegsprogramm in diesem Buch (ab Seite 15) umfasst sogar sieben Wochen – damit wird eine Basis gelegt, von der Sie Ihr Leben lang optimal profitieren können.

DIE BESTE ÜBUNGSZEIT

Falls Sie das Autogene Training zum leichteren Einschlafen nutzen möchten, beginnen Sie damit am besten abends im Bett. Für alle anderen Übungen hat es sich bewährt, morgens nach dem Aufwachen und in der Mittagspause zu üben. Sobald Sie das Autogene Training sicher beherrschen, können Sie die einzelnen Schritte überall anwenden, wo Sie für zwei bis drei Minuten »abschalten« können, um sich zwischendurch kurz und effektiv zu erfrischen und zu entspannen. Nur am Steuer dürfen Sie natürlich keinesfalls üben, weil Sie in der tiefen Entspannung kaum mehr auf die äußeren Umstände achten und reagieren könnten.

Insgesamt gilt: Je regelmäßiger Sie üben, desto eher werden Sie die positiven Auswirkungen auf Körper, Geist und Seele an sich spüren – und in umso kürzerer Zeit die gewünschten Erfolge erzielen. Es lohnt sich also auf jeden Fall dranzubleiben: Bald werden Sie erste wohltuende und beflügelnde Veränderungen spüren können, die sich dann mit dem weiteren Üben immer mehr vertiefen.

GELUNGENES ÜBEN MIT BUCH UND CD

Den wichtigsten Teil dieses Buches bildet das folgende Kapitel, das Sie in einem Sieben-Wochen-Programm an die Methode des Autogenen Trainings heranführt. Dort erwerben Sie zunächst das wesentliche Handwerkszeug: die Grundübungen. Gegen Ende der sieben Wochen werden Sie zusätzlich lernen, individuelle Autosuggestionen (Vorsatzformeln) zu erstellen und zu visualisieren.

Diese beiden Fähigkeiten sind wichtig für die Benutzung des dritten Kapitels. Denn dort können Sie je nach Bedürfnis das Autogene Training anwenden, um verschiedene körperliche Beschwerden gezielt zu lindern oder aber um Ihre Kreativität zu wecken, Ihr Selbstbewusstsein zu stärken und vieles andere mehr für Ihr Leben zu tun.

Warum eine CD?

Gerade wenn Sie noch wenig Erfahrung mit dem Autogenen Training haben, ist es sinnvoll, zunächst einmal die erste Übung der CD auszuprobieren, um zu erfahren, wie sich ein tiefer Entspannungszustand für Sie anfühlt. Denn natürlich ist es leichter, sich zu entspannen, wenn Sie zwischendurch nicht nachlesen oder -denken müssen, was denn als Nächstes zu tun ist. Außerdem schweifen Ihre Gedanken beim Zuhören nicht so leicht ab. Diese erste Übung auf der CD ist eine Form der Grundübungen, die den Körper auf Schwere und Wärme umstellt. Die so herbeigeführte tiefe Entspannung eignet sich hervorragend dazu, Stress abzubauen, körperliche Anspannung loszulassen und tiefe innere Ruhe zu finden. Weitere Übungen auf der CD dienen der Steigerung der Konzentration, der Stärkung des Selbstvertrauens und dem besseren Einschlafen.

Seien Sie sich jedoch beim Üben mit der CD darüber im Klaren, dass Sie jede von jemand anderem vorgesprochene Formel in Ihre eigene Sprache und Vorstellungswelt übertragen müssen – sonst kommt es nicht zur Selbsthypnose, sondern nur zur Fremdsuggestion. Daher ist es wichtig, nicht allein die CD zu benutzen, sondern auch regelmäßig für sich zu üben – eben autogen!

Damit viel Freude und optimalen Erfolg beim Autogenen Training!

DAS SIEBEN-WOCHEN-PROGRAMM

Um das Autogene Training effektiv einsetzen zu können, ist eine solide Grundlage nötig. Sie besteht aus den Grundübungen, die Sie sich in nur fünf Wochen aneignen können – täglich dreimal etwa zehn Minuten Zeit reichen aus. Sie werden im Handumdrehen von dieser einfachen, aber äußerst wirksamen Entspannungsmethode profitieren. In den letzten zwei Wochen des Programms lernen Sie zusätzlich, Autosuggestionen zu erstellen und zu visualisieren – beides nützliche Werkzeuge, um Ihre Wünsche erfolgreich zu verwirklichen.

49 TAGE, DIE IHR LEBEN VERÄNDERN

Dieses Kapitel möchte Sie Schritt für Schritt mit der Praxis des Autogenen Trainings vertraut machen. Um alle Übungen zu erlernen, benötigen Sie insgesamt sieben Wochen. Dabei werden Sie mit jedem Praxisbaustein ein wertvolles neues Werkzeug hinzugewinnen, mit dem Sie Ihr Leben wirksam verbessern können.

DER SANFTE EINSTIEG

Das Sieben-Wochen-Programm beginnt mit einer ersten »Probestunde«, in der Sie vermutlich bereits ein gutes Gefühl für die Methode des Autogenen Trainings und gleichzeitig ein sensibleres Gespür für Ihren Körper entwickeln werden. Danach sollten Sie sich an einem Tag dreimal 15 Minuten Zeit fürs Üben nehmen. Bereits ab dem zweiten Übungstag reichen dann schon etwa dreimal zehn Minuten aus. Und bis zum letzten Tag des siebenwöchigen Zyklus werden Sie immer weniger Zeit für das Autogene Training benötigen, da Sie zum einen immer geübter werden und zum anderen bald nur noch die Kurzformeln anwenden.

Das Ziel der Übung

Hauptziel der ersten Übungen ist es, dass Sie lernen, schnell einen tiefen, hypnoseähnlichen Entspannungszustand herzustellen. Ab der zweiten Übungswoche lernen Sie dann bereits, Ihre inneren Organe positiv zu beeinflussen, um auf diese Weise Krankheiten zu lindern und zu heilen sowie ein immer tiefer gehendes allgemeines Wohlbefinden herzustellen.

Bis zur fünften Woche einschließlich absolvieren Sie die sogenannten Grundübungen des Autogenen Trainings. Danach lernen Sie zusätzlich, mithilfe von inneren Leitsätzen und Visualisierungsübungen, Ihr Leben insgesamt zu verändern: Sie werden Schritt für Schritt in die Lage versetzt, Konzentration und Gedächtnis zu verbessern, Ihren Charakter zu entwickeln sowie Erfolge zu planen und umzusetzen. Sie bekommen etwas unschätzbar Wertvolles in die Hand: den Schlüssel zur Erfüllung Ihrer Träume.

Das Allerwichtigste beim Üben ist die Regelmäßigkeit. Je öfter und regelmäßiger Sie praktizieren, desto schneller werden sich die ersten – und dann auch dauerhafte Erfolge einstellen können.

DIE POSITIVE GRUND-EINSTELLUNG

Wichtig für den Erfolg ist eine positive Einstellung gegenüber dem Autogenen Training. Dazu eine erste kleine Übung:

➤ Erinnern Sie sich an eine Gelegenheit, bei der Sie sich wunderbar entspannt gefühlt haben. Das kann ein Urlaub am Meer gewesen sein, ein gemütlicher Sonntagmorgen mit Ihrem Partner im warmen Bett oder ein Spaziergang im Park.

➤ Rufen Sie sich dazu alle Einzelheiten ins Gedächtnis: Stellen Sie sich vor, wie die Umgebung auf Sie wirkte, wie die Gerüche Sie bezauberten, wie Sie satt und zufrieden waren, vollkommen ungestört von äußeren Einflüssen.

➤ Wenn Sie sich jetzt so richtig wohlfühlen, dann nehmen Sie sich vor, dass Ihnen das Autogene Training dabei helfen wird, sich genauso zu fühlen wie damals – und das, sooft Sie es wünschen.

DIE KÖRPERHALTUNG

Sehr wichtig für erfolgreiches Üben ist die richtige Körperhaltung. Dabei stehen Ihnen mehrere Varianten zur Verfügung. Es ist gleich, für welche Sie sich entscheiden. Auf jeden Fall sollte sie bequem für Sie sein –

auch über einen längeren Zeitraum hinweg. Wählen Sie also zwischen der Kutscherhaltung, »Großvaters Lehnstuhl« und der Liegeposition. Probieren Sie ruhig alle einmal aus, dann wissen Sie schnell, welche Ihnen besonders liegt und Ihre bevorzugte Körperhaltung beim Üben sein sollte. Es ist auch deswegen gut, mehrere zu kennen, weil Sie zu Hause vielleicht eine andere nutzen wollen als später zwischendurch im Büro.

*Oberkörper leicht
nach vorn gebeugt*

Die Kutscherhaltung nach J. H. Schultz

Der Name dieser Haltung rührt daher, dass J. H. Schultz für seine Übungen die Entspannungshaltung der Berliner Pferdekutscher übernahm, die auf dem Kutschbock (der ja keine Lehne hat) ein Nickerchen machten. Die Droschkenkutscherhaltung ist besonders leicht und unkompliziert. Sie brauchen dafür nur einen einfachen Hocker, einen Stuhl oder eine Bank, weshalb sie nahezu überall praktiziert werden kann. Wenn Sie es richtig machen, müssen Sie in dieser Haltung keinen einzigen Muskel anspannen. Wie für die anderen Positionen auch sollten Sie zuvor einengende Kleidung lösen.

➤ Setzen Sie sich locker auf den vorderen Teil der Sitzfläche, Schultern und Kopf leicht nach vorn gebeugt.

➤ Lassen Sie die Hände ganz entspannt auf den Oberschenkeln der leicht geöffneten Beine ruhen. 1

➤ Oder Sie neigen den gesamten Oberkörper nach vorn und stützen das Gewicht mit den Ellbogen ab. Die Hände hängen dabei nach innen herunter. 2

*Fußsohlen fest
auf dem Boden*

TIPP

Am Anfang kann es hilfreich sein, das Autogene Training zu üben, wenn Sie schon etwas müde sind. So gelangen Sie noch leichter in den gewünschten Entspannungszustand.

Großvaters Lehnstuhl

Diese Sitzhaltung ist besonders bei Wirbelsäulenbeschwerden zu empfehlen. Sie brauchen dafür »Großvaters Lehnstuhl« oder einen anderen bequemen, aber nicht zu weichen Sessel.

➤ Lehnen Sie sich gemütlich im Lehnstuhl oder Sessel zurück.

➤ Die Beine weisen gerade nach vorn, beide Füße stehen fest auf dem Boden. 3

Die Liegeposition

Am bequemsten und natürlichsten ist das Üben im Liegen auf einer weichen Unterlage.

➤ Legen Sie die Arme entspannt neben dem Körper ab, halten Sie die Beine leicht gespreizt, die Fußspitzen zeigen dabei etwas nach außen. 4

Gesäß bequem auf der Sitzfläche

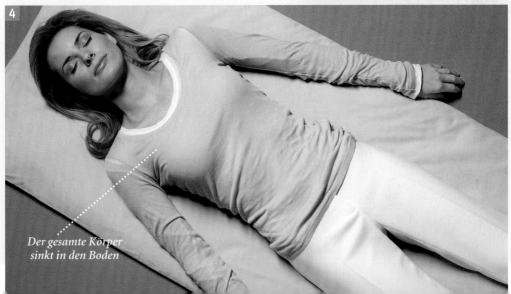

Der gesamte Körper sinkt in den Boden

DIE TAGE UND WOCHEN IM EINZELNEN

Sieben Wochen, 49 Tage, dauert das Programm, das in diesem Buch für Sie die Grundlagen legt. Nach dieser Zeit – wenn Sie drangeblieben sind – wird Ihnen das Autogene Training bereits in Fleisch und Blut übergegangen sein.

DIE ERSTE STUNDE: DER EINSTIEG

Aller Anfang ist ... leicht, zumindest beim Autogenen Training. Zuerst einmal werden Sie lernen, kleine Veränderungen Ihres Systems herbeizuführen und diese auch wahrzunehmen. Dann gehen Sie daran, diese ersten beflügelnden Erfolge immer weiter auszubauen.

Planen Sie für Ihre ersten Gehversuche in Sachen Entspannung etwa eine Stunde ein. Es kann zwar durchaus möglich sein, dass Sie schneller mit dem Üben fertig sind, unnötigen Zeitdruck sollten Sie aber auf jeden Fall vermeiden.

Gedanken verändern unsere Einstellung

Stellen Sie sich einmal vor, auf dem Boden vor Ihnen liegt ein langes, 20 Zentimeter breites Brett und man fordert Sie auf, einmal über die gesamte Länge zu balancieren. Sie werden sicher sagen: »Das ist doch kein Problem!« Und tatsächlich würden Sie es problemlos schaffen, ans andere Ende zu gehen. Würde dieses Brett aber als Steg die Dächer zweier Häuser verbinden, fänden Sie die kleine Übung dann immer noch unproblematisch? Sicher nicht. Natürlich ist es das gleiche Brett – aber es befindet sich in einer gefährlichen Höhe.

Fazit: Die Alltagserfahrung zeigt uns ein und dieselbe Aufgabe einmal kinderleicht und ein andermal unüberwindlich, je nachdem, was wir mit dieser Aufgabe verbinden. Entscheidend sind nicht einfach die äußeren Umstände – das Brett bleibt das gleiche, egal, wo es sich befindet –, sondern vielmehr unsere innere Einstellung.

Manchmal im Alltag stellt man sich das auf dem Boden liegende Brett einfach nur in schwindelerregender Höhe vor – und es scheint unüberwindlich, den eigenen Weg zu gehen. Mithilfe des Autogenen Trainings werden Sie Ihre Einstellung in einer Weise verändern, die Sie von unnötiger Angst befreit.

Die vereinfachte Schwere-Wärme-Übung

Suchen Sie sich einen möglichst ruhigen Platz, an dem Sie für die Zeit des Übens ungestört sind – wählen Sie am besten Ihren Lieblingssessel oder einen anderen Ort, an dem Sie sich wohlfühlen. Lassen Sie sich bei der folgenden Übung ausreichend Zeit.

➤ Nehmen Sie eine entspannte Haltung ein (siehe ab Seite 17) und schließen Sie mit dem Ausatmen die Augen.

➤ Strecken Sie die Arme waagerecht nach vorn aus, die Handflächen zeigen im Abstand von 20 Zentimetern zueinander.

➤ Konzentrieren Sie sich nun auf das Wärmefeld, das zwischen Ihren Handflächen entsteht, und auf die Vorstellung, dass beide Hände zueinandergezogen werden, als wären sie magnetisch geladen. Verstärken Sie diese Vorstellung, bis Sie allmählich die Energie zwischen den Handflächen spüren und bemerken, dass sich die Hände ganz langsam aufeinander zubewegen. Lassen Sie sich bei diesem Teil der Übung unbedingt ausreichend Zeit, um wirklich zu erspüren, was geschieht.

Aus der inneren Ruhe heraus lässt sich am besten auf die Alltagserfordernisse reagieren.

➤ Sobald sich Ihre Handflächen berühren, lassen Sie die Arme langsam heruntersinken – im Sitzen auf die Oberschenkel und in der liegenden Haltung neben den Körper.

➤ Jetzt stellen Sie sich vor, wie Ihre Arme immer schwerer werden, lassen Sie sie so schwer wie Blei sein. Stellen Sie sich dies so lange vor, bis sich tatsächlich ein angenehmes Gefühl der Schwere in den Armen einstellt.

➤ Lassen Sie diese Schwere über die Schultern in den Kopf wandern, der daraufhin immer schwerer und angenehm müde wird.

➤ Dann lassen Sie zu, dass sich die Schwere allmählich im gesamten Körper ausbreitet.

TIPP

Sie sind auf der richtigen Fährte, wenn die Bewegung in kleinen Rucken vor sich geht und Sie mit der Zeit das Gefühl dafür verlieren, wo sich Ihre Arme gerade befinden.

Der ganze Körper wird langsam schwer, und Sie lassen diesen Zustand auf sich wirken. Genießen Sie ihn!

➤ Ruhen Sie nun fünf bis zehn Minuten lang aus. Folgen Sie dabei mit dem Bewusstsein Ihrer Atmung, die Sie tiefer und tiefer in die Entspannung führt.

Rücknahme

Die Rücknahme schließt jede Übung des Autogenen Trainings ab – Sie nehmen damit die vorher geübten Schritte wieder zurück. Denn in der tiefen, tranceähnlichen Entspannung könnten Sie Ihren Alltagsbeschäftigungen kaum nachgehen. Ausnahmen bilden lediglich Übungen zum besseren Einschlafen (Seite 59), die sogenannte Teilentspannung (Seite 73) und Schmerzlinderungsübungen wie beispielsweise beim Prämenstruellen Syndrom (Seite 55). Hierbei ist es gut, völlig entspannt zu bleiben.

Gewöhnen Sie sich unbedingt an, das Training tagsüber – wenn Sie also nach dem Üben erfrischt und kraftvoll wieder Ihren normalen Tätigkeiten nachgehen wollen – mit der Rücknahme zu beenden. Im Entspannungszustand sind so gut wie alle Körpervorgänge verlangsamt und reduziert. Wenn Sie die Rücknahme weglassen, würden Sie Benommenheit und Schweregefühl mit in den weiteren Tag hineinnehmen. Durch die Rück-

---

SPECIAL: EIGENE ÜBUNGSFOLGEN AUFNEHMEN

Es kann sehr hilfreich sein, eigene CDs, MP3-Files oder auch Kassetten zum Autogenen Training zu erstellen. Sie können sie sich dann anhören, wenn Sie beispielsweise sehr angespannt sind oder sich einen bestimmten Vorsatz intensiv einprägen möchten. Dazu können Sie nach Wunsch eine angenehme Hintergrundmusik auswählen und dann den gewünschten Text aufsprechen.

• Beginnen Sie mit der Ruhetönung, indem Sie dreimal mit leiser, monotoner Stimme wiederholen: »Ich bin ganz ruhig.« Stellen Sie sich dabei auch innerlich auf die Ruhe ein. Lassen Sie dann etwa 30 bis 60 Sekunden Pause.

• Fahren Sie mit dem Satz fort: »Beide Arme sind ganz schwer.« Auch diesen Satz wiederholen Sie dreimal.

• Wie in den folgenden Kapiteln beschrieben, können Sie nun mit der Schwereübung für den gesamten Körper und den folgenden Schritten fortfahren bis zu der Übung, die Sie im Moment am meisten brauchen – etwa bei Kopfschmerzen bis zur Stirnübung. So kommen Sie auch immer tiefer in den Entspannungszustand.

• Verstärken Sie dann die Autosuggestion mit der Formel: »Es geht mir mit ... jeden Tag besser.« Oder Sie verwenden eine Suggestion aus Kapitel 3 (ab Seite 42).

• Beschließen Sie die Übung mit der Rücknahme (ab Seite 22).

nahme bringen Sie sich jedoch wieder in den gewöhnlichen und nun zudem noch wacheren Aktivitätszustand.

Geben Sie sich für die Rücknahme im Geiste die im Folgenden aufgeführten Anweisungen. Nehmen Sie sich nach jeder einzelnen unbedingt ausreichend Zeit, um sie körperlich und für Sie spürbar umzusetzen. Bald wird die Rücknahme so automatisiert sein, dass Sie insgesamt nur noch eine Minute dafür brauchen.

➤ Zählen Sie rückwärts von 6 bis 1 und stellen Sie sich vor:

➤ Bei 6 werden die Beine wieder frei und beweglich, alle Müdigkeit und die Schwere verschwinden.

➤ Bei 5 wird der Bauch wieder frei, Müdigkeit und Schwere verschwinden.

➤ Bei 4 wird der Oberkörper wieder frei, Müdigkeit und Schwere verschwinden.

➤ Bei 3 werden die Arme wieder frei und beweglich, Müdigkeit und Schwere verschwinden.

➤ Bei 2 wird der Kopf wieder frei und frisch, Müdigkeit und Schwere verschwinden.

➤ Und bei 1 öffnen Sie die Augen.

➤ Sie sind nun wieder in Ihrem gewohnten Alltagsbewusstsein – nur hoffentlich sehr viel entspannter und gelöster. Genießen Sie diesen Zustand und nehmen Sie gerade nach den ersten Übungseinheiten intensiv wahr, wie Sie sich bei Ihren gewohnten Aktivitäten des weiteren Tages jetzt fühlen.

TIPP

Die Formulierungen der Formeln in diesem Buch sind jeweils Vorschläge. Sie können Sie jederzeit nach Wunsch und Bedarf abändern. Beachten Sie dazu nur unbedingt die grundsätzlichen Hinweise auf Seite 37!

Die Kurzform der Rücknahme

Sobald Sie die Rücknahme sicher beherrschen, können Sie Ihr Autogenes Training mit der folgenden Kurzform beenden, bei der nicht mehr von 6, sondern nur noch von 3 zurückgezählt wird:

➤ Bei 3 wird der Körper wieder frei und beweglich, alle Müdigkeit und die Schwere verschwinden.

➤ Bei 2 wird der Kopf wieder frei und frisch.

➤ Bei 1 öffnen Sie die Augen.

Mögliche Schwierigkeiten überwinden

• Falls sich Nackenschmerzen einstellen, haben Sie eine für Sie nicht so passende Übungshaltung gewählt. Ein kleines Kissen im Nacken oder eine Nackenrolle können helfen. Oder Sie probieren beim nächsten Mal eine andere der Positionen von Seite 18 oder 19 aus.

• Sollte ein unangenehmes Schweregefühl zurückbleiben, haben Sie die Rücknahme nicht ganz korrekt ausgeführt. Wiederholen Sie sie einfach noch einmal.

1. TAG: RUHE – SCHWERE – WÄRME

Die erste der Übungen, die Sie heute lernen, vertieft den Kontakt mit Ihrem Körper, die weiteren ermöglichen es Ihnen, sich gezielt zu erholen. Planen Sie über den Tag verteilt dreimal 15 Minuten ein.

Den »inneren Blick« für Ihren Körper schärfen

Für das Autogene Training ist es wichtig, dass Sie sich daran gewöhnen, Ihren Körper von innen her wahrzunehmen.

➤ Nehmen Sie eine entspannte Haltung im Liegen oder Sitzen ein und schließen Sie mit dem Ausatmen die Augen.

➤ Achten Sie bewusst auf Geräusche und entwickeln Sie die Einstellung: »Geräusche sind unwichtig.« Lassen Sie dann alle Geräusche in immer weitere Ferne rücken und wenden Sie sich stattdessen mit dem Bewusstsein Ihrem Körper zu. Lassen Sie sich für diesen Teil der Übung einige Minuten Zeit.

➤ Beginnen Sie dann, ganz in Ruhe mit Ihrer Aufmerksamkeit im Körper umherzuwandern. Was nehmen Sie unmittelbar als Erstes wahr? Welche Körperbereiche spüren Sie deutlicher, welche weniger klar? Machen Sie sich bewusst, an welchen Stellen Sie den Stuhl, den Boden oder sich selbst berühren.

➤ Spüren Sie, wo in Ihrem Körper Schwere sitzt und wo Leichtigkeit. Lassen Sie Ihre Aufmerksamkeit langsam in einzelne Körperbe-

reiche weiterwandern: Spüren Sie in die Finger hinein, in die Füße, in die Zehen. Halten Sie nirgendwo lange inne und versuchen Sie nicht, etwas zu verändern.

➤ Erspüren Sie nun, wo im Körper Gefühle »sitzen«. Wo sitzt der Ärger, wo erleben Sie Freude? Nehmen Sie einfach nur wahr!

➤ Es folgt die Rücknahme, wie ab Seite 22 beschrieben.

Mögliche Schwierigkeiten überwinden

• Vielleicht schweifen Ihre Gedanken beim Üben ab. Das ist vor allem am Anfang der Praxis völlig normal. Wichtig ist nur, dass Sie Ihre Gedanken immer wieder zurückholen, wenn sie davongewandert sind. Nehmen Sie sich ein altes chinesisches Sprichwort zu Herzen, das sagt: »Die Gedanken fliegen wie Vogelschwärme um dein Haupt. Das kannst du nicht verhindern. Aber du kannst verhindern, dass sie Nester bauen in deinem Haar. Lass die Vögel fliegen!«
Konzentrieren Sie sich einfach immer wieder erneut auf Ihren Körper, denn Sie brauchen die erhöhte Sensibilität für die inneren Körpervorgänge bei all den folgenden Übungen.

Vertiefung der Schwere-Wärme-Übung ● Track 2

Allein mit der nun folgenden Schwere-Wärme-Übung lösen sich bereits verkrampfte Blutgefäße und das Blut kann wieder frei strömen. Ihr ganzer Körper fühlt sich dadurch an wie in einen warmen Mantel gehüllt. Damit Ihnen nicht zu warm wird, ist das Wort »angenehm« eingebaut, dass Sie beim selbstständigen Üben nie vergessen sollten. Die Übung dient gleichzeitig auch dem Stressabbau und der allgemeinen Entspannung.

➤ Wählen Sie eine bequeme Haltung und schließen Sie die Augen.

➤ Spüren Sie in sich hinein und nehmen Sie eine wunderbare Ruhe in Ihrem Inneren wahr. Lassen Sie diese angenehme Ruhe sich in Ihrem Körper ausbreiten, bis sie das vorrangige Gefühl ist. Genießen Sie sie.

➤ Beginnen Sie, mit Ihrer Aufmerksamkeit im Körper umherzuwandern. Fangen Sie bei einem Arm an und spüren Sie, wie er angenehm schwer wird. Nehmen Sie einfach wahr, wie sich dieser schwerere Arm anfühlt.

➤ Dasselbe Schweregefühl wandert langsam zum anderen Arm – auch er ist nun schwer. Es zieht weiter über die Schultern in den Kopf, dann über den Oberkörper in den Bauch und weiter in Beine und Füße. Der gesamte Körper ist schwer.

➤ Stellen Sie sich nun vor, wie sich langsam in den Armen zu der Schwere ein Gefühl der Wärme einstellt. Auch dieses wandert nun über die Schultern in den Kopf, weiter in Oberkörper und Bauch bis hinunter zu den Füßen. Der gesamte Körper ist jetzt ganz angenehm schwer und warm.

➤ Sie atmen tief und gleichmäßig ein und aus. Mit jedem Atemzug gleiten Sie tiefer in die Entspannung.

➤ Stellen Sie sich nun vor, Sie liegen auf einer wunderschönen Wiese. Die Sonne scheint und wärmt Sie ganz angenehm, Sie hören die Vögel zwitschern und genießen die friedliche Stimmung. Ganz in der Nähe befindet sich ein kleiner Teich. Neugierig stehen Sie auf, gehen zu ihm hin, tauchen die Hände hinein und spüren das angenehm erwärmte und doch erfrischende Wasser. Sie ziehen sich aus, steigen langsam in den Teich und baden genussvoll. Danach lassen Sie sich von der Sonne trocknen und ziehen sich wieder an, gehen zurück zu dem alten Platz und legen sich dort wieder hin. Sie fühlen sich erfrischt und ausgeruht.

➤ Es folgt die Rücknahme, wie sie ab Seite 22 beschrieben ist.

> ### TIPP
>
> Diese Übung arbeitet unter anderem mit bildlicher Vorstellung. Falls Sie zu den Menschen gehören, denen das an dieser Stelle noch schwerfällt, ist das kein Problem. Sie können den Mittelteil beim aktiven Üben einfach auslassen oder ihn auf der CD, Track 2, genießen wie ein Hörspiel.

Mögliche Schwierigkeiten überwinden

● Wenn Sie bei der Übung sehr viel Willensanstrengung aufwenden, kann es anfangs passieren, dass die Arme plötzlich leicht statt schwer werden. Sie können sich behelfen, indem Sie die Formel verwenden: »Meine Arme werden ganz leicht oder ganz schwer.« Dann wird sich ganz von selbst einstellen, was am besten zu Ihnen passt.

● In den Armen kann es zu kribbeln beginnen. Das ist lediglich ein Zeichen dafür, dass die Entspannung zu wirken beginnt. Üben Sie also ungeachtet dessen weiter.

● Wenn Sie Muskelkater bekommen, haben Sie entweder eine falsche Entspannungshaltung eingenommen oder Sie haben sich zu sehr willentlich um schwere Arme bemüht und dadurch die Muskulatur angespannt. Lassen Sie einfach los und stellen Sie sich stattdessen das schwere Gewicht Ihrer Arme vor – sie wiegen in der Regel etwa drei bis vier Kilogramm. Auf diese Weise werden sie ganz von allein schwer.

TIPP

Verwenden Sie bei der Ruheformel immer die Gegenwart: »Ich bin ganz ruhig«, weil bei der Formel »Ich werde ganz ruhig« Ihr Unbewusstes meint, Sie werden vielleicht irgendwann einmal ganz ruhig – das kann in einer Stunde oder in drei Jahren sein.

Die Ruhetönung

Die letzte Übung für diesen ersten Tag sollten Sie abends durchführen. Mit der Ruhetönung schaffen Sie die Grundlage für spätere Übungen. Nehmen Sie sich ausreichend Zeit dafür und setzen Sie sich nicht unter Druck – Ruhe kann nicht erzwungen werden.

Sie arbeiten nun verstärkt mit positiv formulierten Sätzen, die wiederholt werden. Haben Sie schon einmal einen Hypnotiseur beobachtet? Dabei haben Sie sicher bemerkt, dass er immer die gleichen Sätze in leicht abgewandelter Form sagt. Einerseits schiebt die Wiederholung überflüssige Gedanken beiseite. Andererseits sickert die Botschaft unweigerlich ins Unbewusste. Das können Sie auch bei sich selbst bewirken, wenn Sie Ihr Autogenes Training üben.

➤ Setzen oder legen Sie sich entspannt hin, schließen Sie mit dem Ausatmen die Augen.

➤ Was fällt Ihnen zu dem Begriff Ruhe ein? Erinnern Sie sich an Plätze, an denen Sie sich sehr wohlgefühlt haben, wo sich ein tiefes Empfinden von Ruhe, Harmonie und Schönheit eingestellt hat.

➤ Fällt Ihnen auf Anhieb kein Ort ein, so denken Sie sich einfach einen aus – eine Insel, eine Waldwiese oder ein altes Schloss, lassen Sie die Farben auf sich wirken, die Geräusche und Gerüche.

➤ In dieser Situation drängen sich häufig Gedanken auf: zu erledigende Pflichten oder Konflikte tauchen im Geiste auf. Es ist einfach

Mit der Ruhe beginnt die Entspannung im Autogenen Training.

eine Übungssache, nicht darauf einzusteigen und diese nicht zu bewerten, sondern sie von rechts nach links vorbeiziehen zu lassen und sich immer wieder auf den eigenen Körper, die eigene Atmung zu konzentrieren. Dann können Sie auch wieder entspannende Bilder aufsteigen lassen.

➤ Konzentrieren Sie sich dabei innerlich auf die Formel:

Ich bin ganz ruhig.

➤ Sagen Sie sich diese Formel immer wieder monoton: Allein durch die Gleichförmigkeit der Wiederholung engen Sie Ihre Aufmerksamkeit ein und werden automatisch ruhiger. Sagen Sie die Formel ruhig und geduldig – nicht wie einen Befehl.

➤ Falls Sie visuell veranlagt sind, wird es mit einer bildhaften Vorstellung noch leichter: Malen Sie sich aus, wie Sie in der Sonne am Strand liegen und spüren, wie Ihr Körpergewicht Sie in den warmen, weichen Sand einsinken lässt. Spüren Sie das Gewicht Ihrer Arme und Beine.

➤ Es erfolgt die Rücknahme, wie sie ab Seite 22 beschrieben ist.

Mögliche Schwierigkeiten überwinden

● Vielleicht ist Ihnen nach der Rücknahme ein wenig schwindlig. Das liegt daran, dass aufgrund der Entspannungsreaktionen im Körper der Blutdruck leicht absinkt. Führen Sie die Übung etwas schneller und die Rücknahme energischer durch.

● Falls Sie eingeschlafen sind, können Sie das künftig vermeiden, indem Sie sich zu Beginn sagen: »Ich bin ganz wach und führe meine Übung bis zu Ende durch.«

2. BIS 7. TAG: KURZFORMEN

Um das Autogene Training schnell jederzeit einsetzen zu können, lernen Sie im Folgenden die Kurzform der Schwere-Wärme-Übung. Dazu gehören auch die verkürzten Formeln – und die noch komprimierteren sogenannten Kurzformeln. Sie brauchen nun keinen besonderen Platz mehr für die Übungen und werden allmählich auch immer weniger Zeit dafür benötigen. Planen Sie in dieser Woche gute zehn Minuten dreimal täglich ein.

Kurzform der Schwere-Wärme-Übung in den Armen

Die Schwere-Wärme-Übung haben Sie bereits ausführlich kennengelernt und werden Sie nun in der Kurzform, also auch mit verkürzten Vorsatzformeln, praktizieren. Wir beginnen zunächst mit den Armen.

➤ Nehmen Sie eine entspannte Haltung ein und schließen Sie mit dem Ausatmen langsam die Augen. Stellen Sie sich vor, wie Sie am Strand liegen und angenehm von der Sonne gewärmt werden.

➤ Konzentrieren Sie sich nun auf die folgenden Formeln, die Sie sich vor Ihrem inneren Auge vorstellen. Malen Sie sich dabei bildhaft in allen Details aus, wie Sie völlig entspannt daliegen oder -sitzen:

Ich bin ganz ruhig.

Beide Arme und Hände sind ganz schwer und angenehm warm. (dreimal)

Ich bin ganz ruhig.

➤ Führen Sie nun die Rücknahme durch, wie ab Seite 22 beschrieben.

➤ Wenn Sie die Übung beherrschen, verwenden Sie nur noch die nochmals verkürzte Formel, auch sie vollkommen ruhig und so langsam, dass Sie wirklich die Wirkung in Ihrem Körper spüren können.

KURZFORMEL

Ruhig – schwer – Arme und Hände warm.

TIPP

Sie lernen hier zunächst, die Kurzform der Wärme-Schwere-Übung mit den Armen zu praktizieren. Wenn Sie dies beherrschen, können Sie gleich dazu übergehen, sie mit dem gesamten Körper zu üben. Vielleicht aber wollen Sie sie zunächst noch mit Armen und Beinen probieren – eine angenehme Zwischenstufe auf dem Weg zum Üben mit dem gesamten Körper. Lassen Sie also zunächst Arme und Beine schwer und angenehm warm werden.

Mögliche Schwierigkeiten überwinden

- Sich ein Wärmegefühl in Armen und Händen vorzustellen, fällt vielen Menschen zuerst einmal schwer, vor allem, wenn sie häufig unter kalten Händen (und Füßen) leiden. Ist das der Fall, wärmen Sie sich vor der Übung auf, indem Sie sich beispielsweise bewegen oder die Hände aneinanderreiben. Sie können auch die entsprechenden Körperteile, jetzt also die Hände, in warmem Wasser erwärmen. So wird beim Üben eine unbewusste Verbindung zwischen der Formel und dem warmen Körperteil geschaffen. Nehmen Sie jedes Kribbeln als Erfolg.

- Wenn der Erfolg anfangs ein bisschen auf sich warten lässt: Haben Sie Geduld und gehen Sie's einfach etwas langsamer an!

Kurzform der Schwere-Wärme-Übung im gesamten Körper

Nun üben Sie die verkürzte Wärmeübung im ganzen Körper.

➤ Wählen Sie eine entspannte Haltung und schließen Sie die Augen.

➤ Sagen Sie sich folgende Formeln:

Ich bin ganz ruhig.

Der ganze Körper ist schwer und angenehm warm. (dreimal)

Ich bin ganz ruhig.

➤ Wenn Sie die Übung beherrschen, wenden Sie künftig ausschließlich die noch einmal verkürzte Formel an.

KURZFORMEL

Ruhe – Schwere – Wärme.

➤ Führen Sie abschließend auch hier die Rücknahme durch.

Mögliche Schwierigkeiten überwinden

- Wenn Ihnen bei der Übung zu warm wird, haben Sie den Zusatz »angenehm« warm vergessen, oder Sie haben ihn zwar gesagt, aber innerlich nicht beachtet.

- Wenn Ihr Kopf während der Übung sehr warm wird, haben Sie möglicherweise ein Blutdruckproblem. Konsultieren Sie dazu am besten Ihren Arzt und sprechen Sie ihn auch auf diese Übungen an.

TIPP

Mithilfe des Autogenen Trainings können Sie sich bei Bedarf schnell wieder beruhigen. Sollten Sie bemerken, dass Sie Ihren Ärger nicht mehr unter Kontrolle bekommen oder sich eine andere Aufregung nicht legen will, ist es hilfreich, wieder eine innere Distanz zu gewinnen. Das schaffen Sie mit einer Kurzentspannung: Üben Sie langsam Ruhe – Schwere – Wärme und machen Sie dann die Rücknahme.

8. BIS 14. TAG: DIE ATMUNG

Mit den Grundübungen der folgenden Wochen lernen Sie, auf Ihre Organe Einfluss zu nehmen, deshalb heißen sie Organübungen. Mit ihrer Hilfe können Sie einerseits Ihren Körper besser steuern und Beschwerden Ihrer inneren Organe lindern, andererseits bringen Sie sich automatisch in einen noch tieferen, der Hypnose noch näher verwandten Entspannungszustand. Planen Sie für diese zweite Woche Ihres Programms täglich dreimal fünf bis zehn Minuten Übungszeit ein.

Atemübung

Mithilfe der Atemübung können sich Verkrampfungen des Oberkörpers und der Atemwege wie Bronchien und Lunge lösen. Dadurch wird die Atmung ruhiger und tiefer, und das wiederum stärkt sowohl Ihre körperliche wie auch Ihre seelische Gesundheit.

➤ Nehmen Sie eine entspannte Haltung ein, schließen Sie die Augen und führen Sie die Schwere-Wärme-Übung durch.

➤ Konzentrieren Sie sich auf Ihren Atem. Spüren Sie, wie er kommt und geht. Dazu

können Sie sich vorstellen, wie die Wellen des Meeres rhythmisch heranrollen und sich wieder zurückziehen.

➤ Lassen Sie sich von Ihrem Atem tragen und sagen Sie sich:

Es atmet mich.

➤ Atmen Sie einige Male tief ein und aus, bis Sie bemerken, dass Sie regelmäßig während des Ausatmens besonders angenehm entspannt werden. Finden Sie dabei ganz allmählich Ihren eigenen Rhythmus.

➤ Legen Sie nun die Ruheformel in die Atmung hinein, sodass Sie innerlich wie folgt formulieren:

beim Einatmen: »Mit jedem Atemzug ...«

und beim Ausatmen: »... gleite ich tiefer in die Entspannung.«

➤ Lassen Sie genau das geschehen.

➤ Konzentrieren Sie sich dann auf folgende Formeln:

Ich bin ganz ruhig.

TIPP

Wenn Sie die Übung einige Male wiederholt haben, werden Sie bemerken, dass sich alle Entspannungsreaktionen beim Ausatmen vertiefen. Diesen Effekt können Sie noch verstärken, indem Sie sich vorstellen, wie alles Belastende beim Ausatmen Ihren Körper verlässt und beim Einatmen Energie in Ihren Körper strömt.

Mit jedem Atemzug gleite ich tiefer in die Entspannung. (dreimal)

Ich bin ganz ruhig.

➤ Verwenden Sie nur noch die verkürzte Formel, sobald Sie die Übung beherrschen.

KURZFORMEL

Jeder Atemzug bringt mich tiefer in die Entspannung.

➤ Führen Sie die Rücknahme durch.

Mögliche Schwierigkeiten überwinden

● Manchmal will sich nicht gleich ein gutes Gefühl für den Atem einstellen, vor allem, wenn Sie diese Art von Übungen nicht ge-

Lassen Sie Ihren Atem rhythmisch kommen und gehen wie die Wellen des Meeres.

wohnt sind. Dann ist es förderlich, dass Sie die Rückenlage wählen, Ihre Hand auf den Bauch legen und nachspüren, wie sich die Bauchdecke beim Ein- und Ausatmen rhythmisch hebt und senkt. Lassen Sie sich viel Zeit, diese sanften Bewegungen wirklich zu spüren und zu erleben.

● Falls während der Übung Missempfindungen auftreten, kann das daran liegen, dass Sie sich zu sehr beobachten. Verlagern Sie Ihre Aufmerksamkeit mehr auf das Spüren statt aufs Beobachten. Und machen Sie sich keine Sorgen, die Störungen sind in der Regel harmlos und werden bald von allein wieder verschwinden.

15. BIS 21. TAG: PULS UND HERZ

Unser Herz ist das zentrale Lebensorgan. Es reagiert sofort auf Veränderungen der körperlichen und seelischen Befindlichkeit. Das Herz pumpt unser Blut durch den Organismus, sodass die darin enthaltenen Nährstoffe und der Sauerstoff zu den Zellen gelangen können. Herzprobleme wirken sich somit auf den gesamten Körper aus. Da das Herz eine so zentrale Rolle einnimmt, ist es hilfreich, zunächst mit der unkomplizierten Pulsübung zu beginnen und die eigentliche Herzübung erst als zweiten Schritt auszuprobieren.

Pulsübung

Bei Aufregung und körperlicher Anstrengung beschleunigt sich der Pulsschlag. Die Pulsübung reguliert und beruhigt dagegen den Puls – und damit auch Sie.

➤ Nehmen Sie eine entspannte Haltung ein, schließen Sie die Augen und führen Sie alle vorangegangenen Übungen – Ruhe, Schwere, Wärme und Atemübung – durch.

➤ Lenken Sie Ihre Aufmerksamkeit zur Einstimmung auf diesen neuen Übungsschritt in Ihren Körper, bis Sie irgendwo Ihren Puls spüren. Das kann an den Handgelenken, in den Fingerkuppen, am Hals oder sogar im Bauchraum sein. Sie können dazu Ihren Puls auch mit den Fingerkuppen ertasten. Besonders leicht geht das beispielsweise am Handgelenk oder an der Halsschlagader seitlich unterm Kiefer.

➤ Konzentrieren Sie sich nun auf folgende Formeln und spüren Sie dem nach, was Sie sich innerlich sagen:

Ich bin ganz ruhig.

Mein Puls schlägt ruhig und gleichmäßig. (dreimal)

Ich bin ganz ruhig.

➤ Verwenden Sie nur noch die verkürzte Formel, sobald Sie auch diesen Teil der Grundübungen beherrschen.

KURZFORMEL

Ruhe – Schwere – Wärme – Herz/Puls gleichmäßig.

➤ Führen Sie am Ende wieder die Rücknahme durch.

Herzübung

Die Herzübung kann noch mehr als die Pulsübung. Über die Regulation des Herzschlags beruhigt sie Sie nicht nur etwa bei Aufregung und Lampenfieber, sondern sie kann auch bei funktionellen Herzbeschwerden

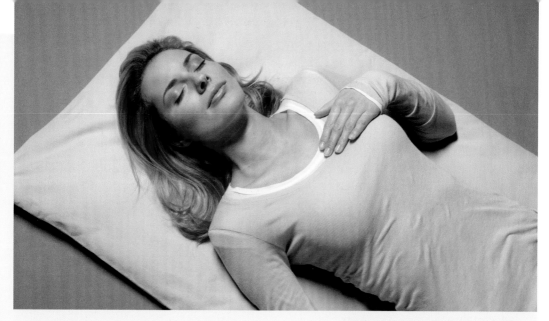

Beim Autogenen Training geben Sie Ihrem Herzen viel Raum.

und leichten Herzrhythmusstörungen helfen. Bevor Sie allerdings in solchen Fällen
zu üben beginnen, sollten Sie einen Arzt
konsultieren und die Beschwerden abklären
lassen.

➤ Konzentrieren Sie sich bei der Herzübung
nicht auf den Herzschlag, sondern auf das
Gefühl »Mir ist warm ums Herz.«

➤ Stellen Sie sich dabei die Weite des Meeres und das sanfte und zugleich machtvolle
Wellenspiel am Strand vor.

➤ Konzentrieren Sie sich dann auf folgende
Formeln:

Ich bin ganz ruhig.

Mir ist warm ums Herz. Mein Herz hat viel Platz
und viel Spielraum. (dreimal)

Ich bin ganz ruhig.

➤ Führen Sie die Rücknahme durch.

Mögliche Schwierigkeiten überwinden

● Wenn Sie sich bei Herz- und Pulsübung
unwohl fühlen, können Sie sie auch ganz
ausfallen lassen oder zu einem späteren Zeit-
punkt wiederholen. Diese Übungen sind nicht
unbedingt nötig, da das Herz auch bei den
anderen Übungen entspannt wird.

TIPP

Treten bei der Herzübung Missempfindungen auf, führen Sie die Rücknahme
durch. In diesem Fall sollten Sie die
Herzübung nur unter der Anleitung eines Arztes erlernen oder ausfallen lassen. Generell lohnt sie sehr, bei Angi-
na pectoris beispielsweise sind gute
Ergebnisse bekannt.

22. BIS 28. TAG: DER SOLARPLEXUS

Als Sonnengeflecht oder Solarplexus wird das Nervengeflecht hinter dem Magen bezeichnet. Ähnlich den Strahlen der Sonne breiten sich die Nervenfasern von hier im gesamten Bauchraum aus. Der Solarplexus ist ein wichtiges Zentrum der Lebensenergie. Sind wir hier verspannt, wirkt sich das unangenehm auf den gesamten Körper aus. Und wenn wir hier entspannen, werden wir insgesamt ruhiger und kraftvoller – wir spüren unsere Mitte.

Bauchraumübung

Diese Übung fördert die Durchblutung und entfaltet eine heilsame Wirkung auf die Bauchorgane. Wärme und Lebensenergie durchströmen den Bauchraum und bescheren Ihnen ein tiefes Wohlbefinden.

➤ Nehmen Sie eine entspannte Haltung ein, schließen Sie die Augen und führen Sie alle vorangegangenen Übungen durch.

➤ Stellen Sie sich vor, Sie liegen am Strand und die Sonne scheint auf Ihren Bauch.

➤ Konzentrieren Sie sich dann auf folgende Formeln:

Ich bin ganz ruhig.

Herrliche Wärme breitet sich im gesamten Bauchraum aus ...

mit einer freudigen, starken Energie ...,

... die mich mit der Menschheit verbindet. (dreimal)

Ich bin ganz ruhig.

➤ Verwenden Sie nur noch die verkürzte Formel, wenn Sie auch diesen Teil der Grundübungen beherrschen.

KURZFORMEL

Mit jedem Atemzug tiefer in die Entspannung – Bauch warm.

➤ Führen Sie am Ende wieder die Rücknahme durch.

Mögliche Schwierigkeiten überwinden

• Falls es Ihnen schwerfällt, den Bauch zu entspannen, kann das daran liegen, dass Sie vorher gerade gegessen haben und der Magen seine Arbeit verrichten muss. Üben Sie generell lieber vor den Mahlzeiten, ohne sich aber hungrig zu fühlen – es wird dann leichter und zudem wirksamer sein.

• Falls Ihr Bauchraum nicht gleich warm wird, können Sie eine Wärmflasche oder auch nur eine Decke verwenden, um ihn angenehm zu temperieren.

29. BIS 35. TAG: DIE KÜHLE STIRN

Zum Abschluss der Organübungen lernen Sie nun, eine kühle Stirn herzustellen. Auf diese Weise können Sie in aufregenden Situationen einen »kühlen Kopf« bewahren, Kopfschmerzen in den Griff bekommen oder auch gelegentliches Erröten vermeiden. Dieser Teil der Grundübungen ist überaus wirkungsvoll, Sie sollten daher vor allem anfangs behutsam damit arbeiten. Praktizieren Sie ihn nur dann, wenn Ihnen eine kühle Stirn wirklich angenehm erscheint.

Stirn- und Kopfübung

Besonders leicht ist der Einstieg in diese Übung, wenn Sie sich so hinlegen, dass Sie vom Fenster her einen angenehm kühlen Hauch abbekommen.

➤ Nehmen Sie eine entspannte Haltung ein, schließen Sie die Augen und führen Sie alle vorangegangenen Übungen bis zur Bauchraumübung durch.

➤ Um Ihre Vorstellungskraft anzuregen, können Sie sich innerlich ausmalen, wie Sie am Strand in der wärmenden Sonne liegen und ein wunderbar kühler Lufthauch um Ihren Kopf streicht. Wiederholen Sie dann die folgenden Formeln:

Ich bin ganz ruhig.

Meine Stirn ist angenehm kühl. (dreimal)

Ich bin ganz ruhig.

➤ Verwenden Sie nur noch die verkürzte Formel, wenn Sie die Übung beherrschen.

KURZFORMEL

Mit jedem Atemzug tiefer in die Entspannung – Bauch warm – Stirn kühl.

➤ Führen Sie am Ende wieder die Rücknahme durch.

Mögliche Schwierigkeiten überwinden

• Falls sich während der Übung leichte Kopfschmerzen einstellen, ändern Sie die Übungsformel in »Stirn ein wenig kühl«. Halten Sie sich auch in Ihren Gedanken und Vorstellungsbildern exakt an die Vorsatzformeln!

• Sollten Sie sich während der Übung nur sehr schwer konzentrieren können, kann das an einer mangelnden Belüftung des Raumes und damit an zu wenig Sauerstoff liegen. Sie sollten in diesem Fall die Rücknahme durchführen, lüften, sich vielleicht etwas bewegen – und dann mit der gesamten Übung von Neuem beginnen.

36. BIS 42. TAG: SELBSTSUGGESTIONEN

Das Grundhandwerkszeug beherrschen Sie nun bereits. Doch jetzt fängt es an, richtig spannend zu werden: Sie lernen, Suggestionen, also Vorsatzformeln, frei zu formulieren und für alle möglichen Situationen einzusetzen. Sie können sich damit selbst innerlich Aufträge erteilen beziehungsweise sich selbst programmieren. Die Wirkung dieser Vorsatzformeln tritt aber erst dann ein, wenn Sie sie innerlich losgelassen, ja vielleicht sogar vergessen haben.

Worte als Zauberformeln

Bei allen möglichen Wünschen und Zielen, selbst wenn Sie körperliche Erkrankungen loswerden wollen, können Sie die passenden Vorsatzformeln nutzen. Wichtig ist nur, dass Sie für mindestens drei bis vier Wochen bei einer Formel bleiben, damit sich dieser Wirksatz Ihrem Unterbewussten wirklich tief einprägen kann.

Im Folgenden finden Sie einen Vorschlag, wie Sie »Worte als Zauberformeln« im Alltag einsetzen können. Es geht in diesem Übungsbeispiel um Gelassenheit in schwierigen Situationen. Sie können natürlich nach Belieben eigene Selbstsuggestionen formulieren. Befolgen Sie dazu nur die Tipps auf der gegenüberliegenden Seite, sie sind wesentlich fürs Gelingen.

Machen Sie diese Übung zwei- bis dreimal täglich. Nehmen Sie sich dafür jeweils etwa fünf Minuten Zeit.

➤ Nehmen Sie eine entspannte und bequeme Haltung ein.

➤ Überlegen Sie sich eine Situation, in der Sie ab sofort ruhig und gelassen bleiben wollen. Vergegenwärtigen Sie sich die Umstände bis ins Detail.

➤ Führen Sie nun die Grundübungen durch.

➤ Sagen Sie sich im entspannten Zustand mehrmals die folgende Vorsatzformel (oder nach Wunsch Ihre eigene):

Ich bleibe ruhig und gelassen, sage aber deutlich meine Meinung.

➤ Führen Sie am Ende wie gewohnt die Rücknahme durch.

> **TIPP**
>
> Schreiben Sie jeden Tag mindestens zehn Sätze auf, die positive Gefühle in Ihnen auslösen. So erstellen Sie einen Themenpool für Ihre Suggestionen.

WORAUF MUSS ICH BEIM ERSTELLEN VON AUTOSUGGESTIONEN ACHTEN?

• Wenden Sie Autosuggestionen erst dann an, wenn Sie die Grundübungen beherrschen. Sie sollten also zuerst sicher Ruhe, Schwere, Wärme herstellen lernen und dann die Übungen bezüglich der Atmung, für Puls und Herz, Bauchraum und Stirn über einen längeren Zeitraum täglich geübt haben.

• Die Formeln sind nur wirkungsvoll, wenn Sie vorher einen tiefen Entspannungszustand herstellen.

• Verwenden Sie bei den Formulierungen immer die Gegenwartsform.

• Wählen Sie die Formel so, als hätten Sie Ihr Ziel schon erreicht. Zum Beispiel: »Ich trete meinem Chef gegenüber selbstbewusst und positiv auf.«

• Beschreiben Sie Ihr Ziel positiv. Das Unbewusste kann mit Verneinungen nichts anfangen. Wenn Sie also sagen: »Ich will meinem Chef gegenüber nicht unsicher sein«, merkt sich das Unbewusste nur »unsicher sein«.

• Finden Sie motivierende Sätze. Die Selbstsuggestionen sollen positive Empfindungen in Ihnen hervorrufen. So motivieren Sie sich am besten auf Ihre Ziele hin.

• Variieren Sie Ihre Suggestionsformeln zu einem Thema. Notieren Sie sich eine ganze Reihe davon und verwenden Sie die für Sie am besten passende dann jeweils in der Entspannung.

• Es ist für die Autosuggestionen am besten, so viele Beispiele wie möglich zu finden. Je vielfältiger die Botschaften sind, die Ihr Anliegen zum Unterbewusstsein transportieren, umso stärker wird es aktiviert. Machen Sie es sich zur Gewohnheit, so viele motivierende Sätze zu Ihrem Thema aufzuschreiben, wie Ihnen einfallen.

• Formulieren Sie möglichst knapp und einfach. Solche Selbstsuggestionen sind beispielsweise: »Das schaffe ich«, oder: »Ich bleibe jetzt ruhig und gelassen.«

• Verwenden Sie monotone Sätze, vielleicht auch kurze Reime oder Verse.

Selbstsuggestionen ändern vom Kopf aus das ganze Leben.

43. BIS 49. TAG: VISUALISIEREN

Das Visualisieren ist noch deutlich effektiver als die Vorsatzformeln. Voraussetzung für den wirkungsvollen Umgang damit ist nur, dass Sie die Grundübungen, um die es in den letzten Wochen Ihres Programms ausführlich ging, sicher beherrschen. Egal, ob Sie die Methode des Visualisierens einsetzen, um Beschwerden zu lindern, Ziele zu erreichen oder Ihr gesamtes Denken zu verändern – mit etwas Geduld werden Sie überaus positive Wirkungen erleben. Die Möglichkeiten sind nahezu unbegrenzt.

Die Eigenfarbe finden

Das Visualisieren lässt sich bereits mit ganz einfachen Übungen trainieren. Beginnen Sie mit der folgenden Variante zu Ihrer Eigenfarbe, um das Hervorrufen innerer Bilder von Anfang an gezielt zu üben:

➤ Machen Sie die Grundübungen, komplett von Ruhe – Schwere – Wärme bis hin zu allen Organübungen.

➤ Lassen Sie nun als nächsten Schritt vor Ihrem inneren Auge ganz frei Farben auftauchen, bis sich eine sogenannte Eigenfarbe einstellt, die länger bestehen bleibt. Es muss sich bei Ihrer Eigenfarbe keinesfalls um Ihre Lieblingsfarbe handeln. Manche Farbtöne, die erscheinen, werden mit bestimmten Gefühlen verbunden sein. Am Anfang können sich auch unkoordinierte Einzelbilder, verwaschene Farberinnerungen einstellen, die als normal zu bewerten sind und erst aufhören, wenn sich die Eigenfarbe gezeigt hat.

➤ Führen Sie zum Abschluss wieder die Rücknahme durch.

Gegenstände visualisieren

Manch einem gelingt es besser, sich etwas Konkreteres vorzustellen als eine Farbe. Dann eignet sich diese Übung besser:

➤ Machen Sie die Grundübungen.

➤ Stellen Sie sich nun einen bestimmten Gegenstand vor, zum Beispiel eine Blume. Falls das gut klappt, können Sie schon etwas Komplexeres versuchen, vielleicht eine sanft hügelige Landschaft mit einem Haus als Sinnbild für Geborgenheit.

➤ Es folgt die Rücknahme.

TIPP

Wenn es Ihnen schwerfällt, sich einen Gegenstand im Detail vorzustellen, können Sie sich behelfen, indem Sie ein Objekt auswählen, das Sie vor der Übung eingehend betrachten. Sie müssen es sich dann nur wieder ins Gedächtnis rufen. (Siehe dazu auch: »So steigern Sie Ihre Konzentration«, ab Seite 66.)

Erlebnisse visualisieren

Tauchen Sie nun ganz bewusst in angenehme Erinnerungen ein und verweilen Sie dort. Das Visualisieren von früheren schönen Erlebnissen ist wie ein Kurzurlaub für die Seele.

➤ Machen Sie, wie immer mit geschlossenen Augen, die Grundübungen.

➤ Erinnern Sie sich an den ersten Schultag, Ihren letzten Urlaub oder irgendein anderes Ereignis, das Ihnen als schön und positiv in Erinnerung ist.

➤ Wie erging es Ihnen damals? Welche Gefühle kommen hoch?

➤ Spüren Sie nach und führen Sie dann die Rücknahme durch.

Sich eine Person vorstellen

Mit dieser Übung lernen Sie, sich in andere Menschen besser einzufühlen. Am leichtesten gelingt es, wenn Sie sich eine eher neutrale Person vor Ihr geistiges Auge rufen.

➤ Versuchen Sie, sich im entspannten Zustand einen Menschen, den Sie persönlich kennen, ganz genau vorzustellen. Wie sieht er aus? Welche Farbe hat sein Haar? Welche Augenfarbe hat er? Können Sie sein Lachen hören? Stellen Sie sich die Füße oder Hände dieser Person vor. Welche Kleidung trägt sie? Welche Gefühle weckt sie in Ihnen?

➤ Führen Sie dann die Rücknahme durch.

Fragen an das Unbewusste

In dieser Übung wird die Fantasie angeregt. Dies können Sie beispielsweise nutzen, um wesentliche oder gar drängende Fragen für sich zu klären. Dabei kann es um Ihre Arbeitssituation gehen oder um aktuelle Beziehungsangelegenheiten.

➤ Überlegen Sie sich zuerst eine Frage, die Sie beschäftigt.

➤ Machen Sie erst dann die Grundübungen des Autogenen Trainings.

➤ Stellen Sie Ihrem Unbewussten nun Ihre Frage und lassen Sie dann vor Ihrem inneren Auge Bilder auftauchen – sie werden Ihre aktuelle Antwort sein.

➤ Wenn Sie eine Antwort erhalten haben, führen Sie die Rücknahme durch.

TIPP

Sie können die »Fragen an das Unbewusste« auch nutzen, um sich einen besseren Überblick über eine nicht ganz klare Situation zu verschaffen. Denn oft tauchen in tiefer Entspannung Bilder und Erinnerungen auf, die einen Gesamtzusammenhang deutlich machen, der zuvor im alltäglichen Denken, Grübeln und Suchen einfach nicht zugänglich war. So sehen Sie das Ganze plötzlich in einem größeren Zusammenhang, der Ihnen bei den weiteren Schritten hilft.

AUTOGENES TRAINING GANZ GEZIELT

Mit den Grundübungen aus dem Sieben-Wochen-Programm haben Sie bereits alle nötigen Werkzeuge in der Hand, um sich wirkungsvoll zu entspannen und körperliche Abläufe positiv zu beeinflussen. In diesem Kapitel erhalten Sie zusätzliche Informationen, Tipps und Übungen, die Ihnen zeigen, wie sich häufigen Beschwerden und Krankheiten mit Autogenem Training begegnen lässt. Außerdem erfahren Sie, wie Sie die bewährte Entspannungsübung ganz gezielt für Kraft und Selbstbewusstsein, Kreativität und Erfolg einsetzen können.

IHRE GEISTIGE HAUSAPOTHEKE

Von Allergien bis Schmerzen: Hier erfahren Sie, wie Sie Ihre Selbstheilungskräfte gegen allerlei Beschwerden mobilisieren können. Dazu kombinieren Sie die bereits erlernten Schritte des Autogenen Trainings mit entsprechenden Vorsatzformeln, die Ihr Unbewusstes in die richtige, die heilsame Richtung lenken. Sie lernen also, kreativ mit dem Autogenen Training umzugehen – und haben fortan Ihre geistige Hausapotheke immer bei sich.

Die Grundstufe des Autogenen Trainings haben Sie im vorherigen Kapitel bereits erlernt und damit die Möglichkeit erworben, in einer kurzen Zeit einen tiefen Entspannungszustand zu erreichen. Der ermöglicht es Ihnen, schnell Kraft und Energie zu tanken. Gleichzeitig konnten Sie verschiedene Werkzeuge erwerben, die Ihnen nun helfen werden, Beschwerden in den einzelnen Körperteilen zu lindern. Insbesondere kommen jetzt die Vorsatzformeln für die Linderung der unterschiedlichsten Beschwerden zum Einsatz – für beste Gesundheit.

KREATIV FÜRS PERSÖNLICHE WOHL

Sie können das Autogene Training individuell für bestimmte Zwecke einsetzen, indem Sie es mit den entsprechend passenden Formeln ergänzen. Auf den folgenden Seiten werden Ihnen für einzelne Beschwerdebilder solche Formeln vorgeschlagen. Probieren Sie im Bedarfsfall die Übungen dazu wie beschrieben aus und bauen Sie die genannten Formeln ein, ganz so, wie es sich für Sie stimmig anfühlt.

Für weitere Schwierigkeiten, die nicht extra beschrieben sind, können Sie entsprechend Ihre individuellen Übungen und Vorsatzformeln entwickeln. Dass Sie mit gesundheitlichen Problemen immer einen Arzt oder Heilpraktiker aufsuchen sollten, versteht sich natürlich von selbst. Das Autogene Training ist aber sehr gut für leichtere Störungen des Wohlbefindens geeignet und hervorragend zur Unterstützung verschiedener therapeutischer Maßnahmen.

Wenn Sie es anwenden, beginnen Sie stets mit den Grundübungen. Mit jedem Übungsschritt (siehe Kasten) gelangen Sie in einen zunehmend tieferen Entspannungszustand, der immer mehr einer Eigenhypnose ähnelt. Nun können Sie sich selbst innerlich Suggestionen geben oder mit passenden Bildern auf das Unbewusste Einfluss nehmen, um einen positiven Gesamtzustand zu erreichen.

DIE GRUNDÜBUNGEN AUF EINEN BLICK

Mit dem Autogenen Training lässt sich gezielt auf die Gesundheit, das allgemeine Wohlbefinden und die kreative Lebensgestaltung Einfluss nehmen. Grundlage dafür sind immer die Grundübungen, die Sie bereits gelernt haben. Hier erfolgt noch einmal der Überblick:

Ruhe: »Ich bin ganz ruhig.« Sie geben sich innerlich Ruhe vor beziehungsweise nehmen die Ruhe wahr, die bereits in Ihnen spürbar ist, und verstärken sie.

Schwere: »Meine Arme, meine Beine, der ganze Körper ist schwer.« Sie lassen nacheinander die Körperteile schwer werden und konzentrieren sich auf das wohlige Gefühl der Entspannung im Körper.

Wärme: »Meine Arme, meine Beine, der ganze Körper ist angenehm warm.« Sie suggerieren sich eine wohltuende Wärme im gesamten Körper. Wichtig ist hierbei das Wort »angenehm«, damit es Ihnen nicht zu heiß wird. Nehmen Sie es von Anfang an mit in Ihre Übung auf.

Atemübung: »Mit jedem Atemzug gleite ich tiefer in die Entspannung.« Sie atmen ruhig und gleichmäßig und vertiefen mit dieser Formel die Entspannung noch einmal deutlich spürbar: Mit jedem Ausströmen der Luft sinken Sie noch tiefer in den Trancezustand. Gerade diese Formel zum Atem lässt sich sehr gut und vor allem sehr angenehm nachempfinden.

Puls- und Herzübung: »Mein Puls schlägt ruhig und gleichmäßig« und »Mir ist warm ums Herz, mein Herz hat viel Platz und Spielraum.« Diese beiden Formeln vertiefen die Ruhe in Ihnen weiter. Da das Herz so zentral für unseren Organismus ist, wirkt sich dieser Übungsteil positiv auf den gesamten Körper aus. Wenn Ihnen dieser Übungsteil unangenehm ist, lassen Sie ihn zunächst weg. Insbesondere Herzpatienten sollten das Üben zuvor mit ihrem Arzt absprechen.

Bauchraumübung: »Herrliche Wärme breitet sich im gesamten Bauchraum aus, mit einer freudigen, starken Energie, die mich mit der Menschheit verbindet.« So lautet die vollständige Formel, die Sie aber auch verkürzt anwenden können. Der Bauch wird bei diesem Übungsschritt angenehm warm, vielleicht glucksen die Därme ein wenig, weil sie wieder ausreichend Raum und Ruhe für ihre Arbeit finden.

Stirnübung: »Mein Kopf ist müde und meine Stirn angenehm kühl.« Sollten Sie zu Kopfschmerzen neigen, ist es besser, eine andere Formel zu wählen, nämlich: »Der Kopf ist frei und leicht.«

Am Ende dieser Grundübungen sind Sie so tief entspannt, dass Ihr Unbewusstes besonders leicht förderliche Botschaften aufnehmen kann – über Visualisierungen und Vorsatzformeln, wie Sie auf den folgenden Seiten zu speziellen Schwierigkeiten genau beschrieben sind.

ALLERGIEN UND IMMUNSYSTEM

Allergien sind sogenannte Nach-Stress-Krankheiten. Die Rede ist nicht von kurzem, heftigem Stress, wie er beispielsweise durch eine Prüfung ausgelöst wird, sondern eher von sich länger hinziehender Belastung wie Dauerstress in der Arbeit oder durch die Pflege von schwer kranken Angehörigen. In den letzten Jahren haben der Stress und damit nicht zuletzt auch die Allergien deutlich zugenommen. Es sind heute etwa 20 000 Allergien auslösende Stoffe bekannt.

Das geschieht im Körper

Bei einer Allergie ist stressbedingt der Cortisolgehalt im Blut erhöht. Cortisol schädigt die Immunzellen dauerhaft, wodurch die Abwehrzellen auf Stoffe übermäßig reagieren, die an sich völlig harmlos sind. Dabei werden biochemische Substanzen wie Histamin freigesetzt, das wiederum verschiedene Reaktionen im Körper auslöst: Die Blutgefäße in der Haut erweitern sich, Gewebsflüssigkeit tritt aus (Hautallergie), die Muskeln der Bronchien ziehen sich zusammen (allergisches Asthma), der Blutdruck sinkt ab. Der Körper »merkt« sich die Substanz und reagiert immer früher darauf.

So reagiert die Psyche

Steht ein Mensch ständig unter Stress, führt das zu Aggressionen, die allerdings nicht ausgelebt, sondern auf die Körperebene verschoben werden. Damit sind sie aus dem Bewusstsein verschwunden und toben sich stattdessen im Körper aus, zum Beispiel in Form von Allergien. Gerade Allergiker neigen dazu, sich übermäßigem Stress auszusetzen, weil sie häufig ein sehr starkes Bedürfnis danach haben, angenommen zu werden, bei der gleichzeitigen Sorge, nicht liebenswert zu sein.

So hilft Autogenes Training

- Heuschnupfen: Die Schleimhäute von Nase und Rachen schwellen durch die Suggestion von Kühle ab.

- Allergisches Asthma: Luftröhre, Bronchien und Lunge werden warm durchströmt, die Muskulatur der Bronchien wird entspannt.

- Hautallergien: Die Blutgefäße der Haut lassen sich durch Kühlesuggestion eng stellen, Rötung und Jucken verschwinden.

Allergieanfälle reduzieren

Falls Sie wissen, worauf Sie allergisch sind, können Sie die Intensität eines Allergieanfalles sowie die Häufigkeit reduzieren.

➤ Führen Sie die Grundübungen durch.

➤ Dann stellen Sie sich den Stoff, der bei Ihnen die Allergie auslöst, bildlich vor. So können Sie Ihr Unbewusstes dazu bringen, diesen Stoff mit der Entspannung zu koppeln.

➤ Führen Sie die Rücknahme durch.

Hautallergien beeinflussen – einfach zwischendurch

Falls Sie unterwegs oder bei der Arbeit bemerken, dass sich auf Ihrer Haut Quaddeln bilden, versuchen Sie's mit folgender Übung:

➤ Führen Sie kurz die Grundübungen durch, lassen Sie dabei aber die Hände nicht warm, sondern kalt werden.

➤ Berühren Sie im entspannten Zustand die betroffenen Stellen mit Ihrer kalten Hand und lassen Sie gleichzeitig das beruhigende Gefühl sowie die Kälte auf den betroffenen Hautbereich strömen.

➤ Führen Sie die Rücknahme durch.

VORSATZFORMELN

Allergien allgemein: Ich spüre, wie ich immer entspannter werde. Ich bleibe jeden Tag ruhiger und gelassener und helfe so meinem Immunsystem, den »Irrtum« wieder auszubügeln.

Hautallergien: Ich bin ruhig und gelassen. Meine Haut ist angenehm kühl. Brennen und Jucken sind gleichgültig.

Allergisches Asthma: Es atmet mich. Jeder Atemzug vertieft die Ruhe. Ich spüre die Weite bei jedem Atemzug.

ANGST

Wenn wir Angst haben, spannen wir unseren Körper an, um ihn auf eine drohende Gefahrensituation vorzubereiten und seine Leistungsfähigkeit zu steigern. Mit der Gefahr schwindet auch die Angst wieder. Haben wir aber ständig Angst, sind Unruhe, Zittern und Schweißausbrüche, Herzrasen, Übelkeit, Harndrang, Schluck- und Atembeschwerden oder blockiertes Denken die Folge.

Das geschieht im Körper

Verdrängte Ängste lösen eine ständige Anspannung aus und können sich als Bluthochdruck, Magen- oder Darmgeschwüre, Herzkrankheiten, Schlafstörungen oder Schilddrüsenüberfunktion äußern. Dabei ist der Zusammenhang von Angst und Stress überdeutlich, indem viel Angst noch mehr Stress – und erhöhter Stress wiederum noch mehr Angst auslöst.

So reagiert die Psyche

Eltern, die ständig besorgt sind, können diese Ängste auch auf ihr Kind übertragen. Diese können sich dann bei ihm im Unterbewusstsein einprägen und auf verschiedenste Situationen übertragen. Im günstigsten Fall schafft es das Kind, mithilfe von Spiel und Entspannung die von den Eltern eng gesetzten Grenzen (zum Beispiel: »Klettere nicht auf den Baum, sonst brichst du dir alle Knochen!«) zu erweitern. Schafft es das Kind nicht, können sich die Ängste im Erwachsenenalter immer mehr verstärken, verselbstständigen und auf Situationen übertragen, die an sich gar nicht heikel sind. Hier hilft das Autogene Training langfristig. Ist die Angst bereits so groß, dass Sie Angst vor der Angst haben, sollten Sie zusätzlich zu Ihrem Autogenen Training die Hilfe eines Psychotherapeuten in Anspruch nehmen.

TIPP

Man hat festgestellt, dass die Thymusdrüse, die sich hinter dem Brustbein befindet, bei Stress und Angst schrumpft. Umgekehrt erzeugt die Stimulation dieser Drüse ein Gefühl der Kräftigung. Das kann man erreichen, indem man sich, ähnlich wie Tarzan in einer Gefahrensituation, mehrfach aufs Brustbein klopft.

So hilft Autogenes Training

• Sie werden ruhiger, gelassener und entspannter. Das lässt die Angst ganz automatisch schrumpfen.

• Sie gewinnen Abstand zur Angst und können sich so aus ihrem Griff befreien.

• Sie schaffen die Voraussetzung für neue Möglichkeiten der Angstbewältigung.

Entspannung vertreibt die Angst

Indem Sie sich mittels Autogenem Training entspannen, versetzen Sie sich in einen gelösten Zustand, der die Angst automatisch vertreibt und so den Blick auf neue Perspektiven freigibt. Denn Angst und Entspannung vertragen sich nicht.

➤ Führen Sie die Grundübungen durch.

➤ Lassen Sie vor Ihrem geistigen Auge eine Situation auftauchen, in der Sie sich ganz entspannt und gelöst gefühlt haben. Durchleben Sie diese Situation in Gedanken erneut, bis Sie ein Gefühl der Ruhe und Gelassenheit durchströmt.

➤ Wenn Sie sich die Erfahrung ganz vergegenwärtigt haben, berühren Sie eine bestimmte Körperstelle mit der Hand und lassen nach kurzer Zeit wieder los.

➤ Wiederholen Sie diese Übung mehrfach.

➤ Führen Sie die Rücknahme durch.

➤ Wenn Sie danach wieder einmal in eine Situation geraten, in der Angst auftaucht, berühren Sie erneut kurz diese Körperstelle. Dadurch rufen Sie die Erinnerung an die Entspannung wach und können sie auf die neue, eher unangenehme Situation übertragen.

VORSATZFORMELN

Ruhe und Geborgenheit durchströmen mich jederzeit.

Gelassen und mutig gehe ich durch die Angst hindurch.

Ich nehme die Angst an und gehe mit ihr gemeinsam durch die schwierige Situation hindurch.

Die Angst wandelt sich um in Mut.

In meinem Inneren ist eine Kraft, die mich beschützt.

Ich bin sicher und geborgen.

DEPRESSIONEN

Ein fröhlicher Grundzustand ist eigentlich unsere Natur, niemand von uns kam traurig auf die Welt. Ein Baby ist nur dann unglücklich, wenn es angespannt ist, weil es Hunger oder Schmerzen hat oder müde ist. Und genauso wird ein Erwachsener erst dann depressiv, wenn er (dauerhaft) innerlich angespannt ist. Im Gegenzug, so haben Forscher festgestellt, ist es unmöglich, sich negativen Gedankengängen hinzugeben, wenn man völlig entspannt ist.

Das geschieht im Körper

Während einer Depression fehlen teilweise die Botenstoffe Serotonin und Noradrenalin (die »Glückshormone«) im Nervensystem. Das kann eine Folge von Hormonschwankungen, ausgelöst durch Schwangerschaft, Antibabypille oder Wechseljahre, sein. Virusinfektionen, Diabetes, Parkinson sowie Herz-Kreislauf-Erkrankungen können ebenfalls zu einer Depression führen. Die sogenannte zyklische Depression wird zum Teil vererbt und durch negative Einflüsse verstärkt. In jedem Fall sollten Sie bei einer Depression unbedingt ärztliche Hilfe suchen.

So reagiert die Psyche

Tragische Lebensumstände können dazu führen, dass man traurig und verspannt wird. In dieser Situation ziehen sich viele Menschen zurück. C. G. Jung interpretierte dies so, dass sich das Unbewusste eine Auszeit nimmt, um sich einer inneren Neuorientierung zu widmen. Manche Menschen schaffen es aber nicht, wieder ins Gleichgewicht zu kommen und neue Lebenskraft zu schöpfen. Sie geraten in eine

Daueranspannung, die zur depressiven Verstimmung oder gar ernsten Depression führt.

So hilft Autogenes Training

● Da eine Depression immer mit einer Angespanntheit einhergeht, ist Entspannung der erste Schritt zur Besserung.

● Sie gewinnen Abstand zu Ihren Problemen, wodurch Sie Ihre Lebensumstände neu bewerten können.

- Mithilfe der Vorsatzformeln richten Sie Ihr Leben wieder auf Gegenwart und Zukunft aus, statt sich auf negative Ereignisse in der Vergangenheit zu fokussieren.

Inseln der Geborgenheit

Setzen Sie düsteren Gedanken starke positive Bilder entgegen.

➤ Führen Sie die Grundübungen des Autogenen Trainings durch. Wenn Sie ganz entspannt und gelassen sind, lassen Sie positive Bilder aus Ihrer Kindheit aufsteigen – Inseln der Geborgenheit.

➤ Lassen Sie dann allmählich aus der Erinnerung eine Person auftauchen, die Ihnen in der Kindheit besonders hilfreich zur Seite gestanden hat. Das kann ein Elternteil gewesen sein, die Großmutter oder ein Freund.

TIPP

Depressive Menschen bekommen häufig den Ratschlag, doch einfach positiv zu denken. In Wirklichkeit geht es aber darum, negative Einstellungen durch realistisches Denken zu ersetzen und an der Wirklichkeit zu messen.

➤ Versuchen Sie, diese Person in Gedanken mit Ihrer jetzigen Situation zu konfrontieren. Was würde Ihnen die- oder derjenige aktuell raten? Geben Sie sich so lange Zeit, bis sich eine Antwort einstellt. Und keine Angst – Sie werden Hilfe bekommen!

➤ Falls Ihnen wirklich niemand aus der Kindheit einfällt, können Sie sich vorstellen, dass Sie eine Tür in der Wand öffnen und eine Treppe hinuntersteigen. Am Fuß der Treppe sitzt jemand in einem wunderschönen, Geborgenheit ausstrahlenden Raum, eine Vertrauen erweckende, weise Person, die Ihnen für Ihre aktuelle Situation einen guten Rat gibt. Nachdem Sie die Botschaft erhalten haben, bedanken Sie sich, steigen die Treppe wieder hinauf und schließen die Tür hinter sich. Sie sind wieder in der Gegenwart angekommen.

➤ Führen Sie die Rücknahme durch.

VORSATZFORMELN

Ich lasse die Vergangenheit ohne Groll hinter mir und blicke nach vorn.

Lebensmut wird wieder gut. Ich schaffe das.

Ich bejahe mich selbst.

Ich mag an mir ... Ich mag mich.

KOPFSCHMERZEN UND MIGRÄNE

Zwei von drei Deutschen leiden ab und an unter Kopfschmerzen. Und teils mehrmals im Monat erleben viele Menschen, wie es in ihrem Kopf pocht und hämmert: Migräne. Ihnen wird übel, bei körperlicher Aktivität steigert sich der rasende Kopfschmerz. Licht, Lärm, sogar Gerüche sind plötzlich unerträglich. Nur Ruhe und ein abgedunkelter Raum schaffen in dieser Situation Linderung.

Das geschieht im Körper

Bei Anspannung wird die Blutzufuhr zum Kopf erhöht, um die Leistungsbereitschaft zu steigern, was an sich sinnvoll ist, auf Dauer aber zu Kopfschmerzen führt. Es gibt viele Faktoren, die dies begünstigen, zum Beispiel Schlafmangel, Hormonschwankungen oder der häufige Gebrauch von Schmerzmitteln. Es gibt jedoch auch »eigenständige« Kopfschmerzen mit unterschiedlichen Ursachen. Dazu gehören Spannungs- und Entspannungskopfschmerz sowie Migräne. Das Gehirn wird leicht durch Reizüberflutung überlastet, und es reicht dann oft ein kleiner Auslöser, um den Migräneanfall zu provozieren. Dabei verkrampfen zunächst die Blutgefäße im Gehirn, anschließend werden die großen Kopfarterien erweitert, wobei die Schmerzschwelle sinkt.

So reagiert die Psyche

Unter Kopfschmerzen oder Migräne leiden häufig Menschen mit großem Ehrgeiz, die selten richtig entspannen können. Der dröhnende Kopf erzwingt eine Ruhepause und mahnt dazu, die oft überhöhten Ansprüche an sich selbst zu senken.

So hilft Autogenes Training

- Kopfschmerzen können insbesondere durch die Vorstellung von Kühle im Kopfbereich gelindert werden.

- Alternativ kann die Wärmeübung helfen, wobei man die Wärme vom Nacken her aufsteigen lässt, Verspannungen lösen sich.

- Ruhepausen mit Autogenem Training helfen, zwischendurch abzuschalten und Migräneanfälle zu verhindern.

TIPP

Treten starke Kopfschmerzen gemeinsam mit Übelkeit und Erbrechen, Fieber und einem Ziehen im Nacken auf, müssen Sie sofort einen Arzt aufsuchen, da eine Hirnhautentzündung bestehen kann. Auch zusätzlich auftretende Sehstörungen, Krämpfe oder die Unfähigkeit, Arme oder Beine zu kontrollieren, können zwar bei einer Migräne auftreten, aber auch auf eine schwere Erkrankung deuten, die in ärztliche Hand gehört.

Kopfschmerzen:
den Blutstau auflösen

Das hilft bei »normalen« wie beispielsweise
Spannungskopfschmerzen:

➤ Führen Sie die Grundübungen bis zur
»kühlen Stirn« durch.

➤ Stellen Sie sich vor, wie das überflüssige
Blut zurück in den Körper strömt, bis der Kopf
langsam wieder klar wird.

➤ Führen Sie die Rücknahme durch oder geben Sie sich einem erholsamen Schlaf hin.

Migräne:
Übererregung abbauen

Oft merken Sie früh, dass die Migräne naht.
Üben Sie dann sofort Folgendes:

➤ Machen Sie im Liegen die Grundübungen.

➤ Stellen Sie sich vor, Sie sitzen am Strand.
Die Sonne steht hoch am Himmel und wandert dann langsam zum Horizont. Die Abend-
dämmerung kommt, es wird dunkler, die Luft
wird angenehm sanft und etwas kühler, die
Natur kommt allmählich zur Ruhe.

➤ Zur Unterstützung legen Sie eine Hand auf
Stirn und Augen. Sobald die Blutgefäße in Ihren Schläfen verstärkt zu pulsieren beginnen,
assoziieren Sie das mit den Wellen im Meer
und lassen sie in Ihrer Vorstellung langsam
ruhiger werden.

➤ Wenn das gelungen ist, führen Sie langsam die Rücknahme durch.

VORSATZFORMELN

Kopfschmerzen: Mein Kopf ist schmerzfrei, gelöst und klar. Mein Körper ist entspannt und
gleichmäßig durchblutet.

Migräne: Langsam gleite ich in einen tiefen Ruhezustand. Probleme lasse ich hinter mir. Während
die Verspannungen sich lösen, normalisiert sich
langsam die Durchblutung im Kopf. Ich komme in
Balance. Der Kopf ist frei von Schmerzen.

MAGEN-DARM-BESCHWERDEN

Magen und Darm nehmen regen Anteil an unseren Gefühlen. Aufregung »schlägt uns auf den Magen«. Wenn es ganz schlimm wird, »dreht sich uns der Magen um«. »Er hat Schiss« sagt man auch von jemandem, der Angst hat. Stress, Kummer und Ärger erhöhen die Säureproduktion des Magens. Dadurch wird die schützende Magenschleimhaut geschädigt, wodurch Bakterien eindringen können. Ein Magengeschwür ist die Folge, und dann ist es dringend ratsam, einen Arzt aufzusuchen. Mit Autogenem Training können Sie dafür sorgen, dass es erst gar nicht so weit kommt.

Das geschieht im Körper

Auf Stress reagiert unser Magen mit vermehrter Säurebildung. Gleichzeitig verengen sich im Bauchraum die Blutgefäße, das Blut wird weniger durch die Organe, sondern vermehrt ins Gehirn transportiert, um dessen Reaktionsbereitschaft zu erhöhen. Ist das häufig der Fall, werden Magen und Darm weniger durchblutet und entzünden sich.

So reagiert die Psyche

Menschen, die zu Magen- und Darmproblemen neigen, haben es oft mit einem unbewussten Konflikt zu tun. Einerseits möchten sie liebevoll umsorgt und genährt werden, andererseits besteht ein ausgeprägter Wunsch nach Unabhängigkeit. Entlastung schafft das Autogene Training, bei dem man lernt, sich selbst liebevoll zu umsorgen. Damit ist auch zu erklären, warum viele, die es erlernen, während des Übens erleben, wie ihr Magen oder Darm laut zu grummeln anfängt. Das muss niemandem peinlich sein, denn es handelt sich um ein Zeichen der besonders tiefen Entspannung, bei der Magen und Darm sich so richtig wohlfühlen und gut durchblutet werden.

So hilft Autogenes Training

• Durch die tiefe Entspannung wird Angst und Stress entgegengewirkt, beides Auslöser von Magen-Darm-Problemen.

• Mithilfe der Bauchraumübung schicken Sie vermehrt Blut in die Bauchorgane. So wird der Magen besser durchblutet und damit entspannt. Der Druck schwindet, Magen und Darm können wieder in Ruhe arbeiten.

TIPP

Stressreduzierend ist es bereits, sich bei den Mahlzeiten wieder voll auf das Essen zu konzentrieren. So eröffnen Sie sich die Möglichkeit, Genuss und Freude dabei zu entdecken, anstatt ständig innerlich im Kampf um richtiges oder falsches Essen gefangen zu sein oder nebenbei zu essen.

Nehmen Sie Entspannung zu sich

Ob Sie regelmäßig oder akut an Magen-Darm-Beschwerden leiden – die folgende Übung kann helfen.

➤ Führen Sie die Grundübungen des Autogenen Trainings bis zur Bauchraumübung durch. Dann stellen Sie sich ein herrliches Essen vor – Ihr Lieblingsessen. Malen Sie sich in allen Details aus, wie es aussieht, nehmen Sie sogar den Geruch wahr.

➤ Dann stellen Sie sich vor, wie Sie in Gedanken beginnen, dieses Gericht zu essen – langsam, Happen für Happen. Und mit jedem Bissen verspeisen Sie gleichzeitig Ruhe und Gelassenheit. Nehmen Sie in Ihrer Vorstellung die Entspannung körperlich in sich auf.

➤ Führen Sie die Rücknahme durch.

Neue Lösungen finden

Falls Ihnen ein Problem oder Konflikt »schwer im Magen liegt«, ist folgende Übung hilfreich.

➤ Führen Sie die Grundübungen bis zur Bauchraumübung durch.

➤ Überdenken Sie die Situation dann erneut im entspannten Zustand des Autogenen Trainings. Da Ruhe und Entspannung bewirken, dass Sie kreativer sind, können Sie nun neue, vielleicht ungewohnte Lösungsmöglichkeiten aufsteigen lassen.

➤ Führen Sie dann die Rücknahme durch.

VORSATZFORMELN

Das Blut strömt in den Bauchraum. Der Bauch ist gut durchblutet und strömend warm.

Mein Magen ist angenehm entspannt und warm.

Mein Magen arbeitet gut.

PRÄMENSTRUELLES SYNDROM

Schon Hippokrates beschrieb es – das Prämenstruelle Syndrom, kurz PMS genannt.
Kurz vor, manchmal bis in die Monatsblutung hinein, kann es aufgrund eines ver-
änderten Hormonspiegels zu Beschwerden kommen: Dauerschmerzen in Unterleib
und Rücken, Krämpfe, Spannungsgefühl in der Brust, Kopfschmerzen, Migräne,
Schwindel, niedriger Blutdruck, Blähungen und Durchfall, Akne, geschwollene Bei-
ne, Gewichtszunahme, Depressionen, Reizbarkeit und Energiemangel.

Das geschieht im Körper

Neuere Forschungsergebnisse weisen darauf
hin, dass beim PMS vor der Menstruation ein
Serotoninmangel auftritt, der auch für Depressionen verantwortlich ist. Das erklärt zudem den verstärkten Appetit auf Süßigkeiten
während dieser Zeit, da in ihnen verstärkt Serotonin enthalten ist – ein Versuch der Selbst-
heilung des Körpers.

Die Krämpfe werden durch Hormone, die Pro-
staglandine, ausgelöst. Sie verursachen ein
Zusammenziehen der Gebärmutter, um deren
Schleimhaut abzustoßen. Gleichzeitig spielen
diese Hormone bei der Schmerzauslösung
eine Rolle. Anspannung und Stress verändern
sehr stark den Prostaglandinehaushalt, die
Beschwerden vor und während der Periode
werden ausgeprägter.

So reagiert die Psyche

Entscheidend beim PMS ist nicht zuletzt auch
die psychische Verfassung. Sowohl eine negative Einstellung zum eigenen Körper als
auch Stress – insbesondere in der Partner-
schaft – können die Beschwerden verschlim-
mern. Sie sollten einmal in Ruhe überlegen,
ob Sie diesbezüglich in Ihrem Leben etwas
verändern müssen, und sich, falls nötig, Unterstützung holen.

So hilft Autogenes Training

• Die Bauchraumübung sorgt für eine bessere Durchblutung und damit Entspannung
des Bauchraums.

• Geeignete Vorsatzformeln können helfen,
Stress zu reduzieren und mangelndes weibli-
ches Selbstbewusstsein zu stärken.

TIPP

Suggerieren Sie sich nicht sofortige
Beschwerdefreiheit, sondern ein all-
mähliches Nachlassen der Beschwerden. Und: Schieben Sie während der
Menstruation allen Stress beiseite.
Seien Sie ruhig mal egoistisch! Gönnen Sie sich leichte positive Anstren-
gungen, ausgewogene Ernährung, frische Luft und Entspannung mithilfe
des Autogenen Trainings.

Wärme löst die Verkrampfung

*Ruhe und Wärme für den Bauch –
das lindert die Schmerzen am besten.*

Die Wärmeübung sorgt für eine bessere Durchblutung, Verkrampfungen lösen sich, der gesamte Bauchraum kann entspannen.

➤ Treffen Sie die üblichen Vorbereitungen für das Autogene Training: Wählen Sie eine bequeme Haltung, schließen Sie die Augen und führen Sie die Grundübungen bis zur Bauchraumübung durch. Atmen Sie bewusst langsam und gleichmäßig.

➤ Legen Sie dann eine Hand auf den Bauch und stellen Sie sich vor, dass Wärme aus der Hand in den Bauch strömt, wodurch sich die Verkrampfungen im Bauchraum lösen können.

➤ Stellen Sie sich bildlich vor, wie das Blut zu strömen beginnt und den Schmerz wegspült – so lange, bis Sie eine Besserung verspüren. Entspannen Sie nun den ganzen Körper, auch die Arme und Hände.

➤ Stellen Sie sich einen Punkt vor, der eine Handbreit über dem Schambein liegt. Atmen

Sie ganz entspannt in diesen Punkt hinein. Holen Sie immer wieder tief Luft und atmen Sie ruhig zu dieser Stelle hin. Dann lassen Sie die Energie von diesem Punkt aus im ganzen Bauchraum wirken.

➤ Nach einer Weile legen Sie erneut die Hand auf den Bauch und lassen Wärme in den Bauchraum strömen.

➤ Ruhen Sie sich anschließend aus, entspannen Sie sich mit angenehmer Musik oder schlafen Sie ein bisschen. Führen Sie keine Rücknahme durch.

VORSATZFORMELN

Im vertieften Ruhezustand erholt sich das gesamte Nervensystem. Der Unterleib ist angenehm warm.

Die Periode geht leicht, Schmerzen gehen vorüber und helfen, mich wieder zu reinigen.

In der Regel bin ich beschwerdefrei.

RAUCHEN

Die Werbung setzt oft Rauchen mit Entspannung und Freiheit gleich. Diese Botschaft, wenn man sie tausendfach sieht, sickert leicht ins Unbewusste ein. Und genau hier können Sie mit dem Autogenen Training ansetzen. Sie wissen ohnehin längst, dass Sie nach mehreren Zigaretten in Wirklichkeit nicht entspannter sind. Deshalb: Versuchen Sie's mit echter Entspannung!

Das geschieht im Körper

Mit dem Rauchen inhalieren Sie bis zu sechshundert verschiedene Stoffe, darunter Nikotin, Blausäure, Kohlenmonoxid, Arsen und Ammoniak. Diese führen – je nach Dosierung – dazu, dass Aufmerksamkeit und Leistungsfähigkeit gesteigert werden. Oder man entspannt sich, Gefühle wie Stress oder Angst werden abgemildert. Unerwünschte Nebenwirkungen des Rauchens können allerdings Husten, Atem- und Magenbeschwerden sowie Kopfschmerzen sein. Wer mit dem Rauchen aufhört, sieht sich Entzugserscheinungen ausgesetzt: von Nervosität und Unruhe über Konzentrationsmangel bis hin zu Hungergefühlen, Gewichtszunahme, Hitzewallungen sowie Verstopfung.

So reagiert die Psyche

Für Jugendliche ist das Motiv, mit dem Rauchen zu beginnen, »cool« sein zu wollen. Man kann damit so herrlich Unsicherheit verbergen oder Kontaktschwierigkeiten überbrücken. Ist das Rauchen erst einmal zur Gewohnheit geworden, greift die Psyche zunehmend nach dem glimmenden Strohhalm, der scheinbar jederzeit Halt bietet. Rauchen wird nun mit Entspannung – also Stressausgleich – gleichgesetzt. Dabei ist es genau umgekehrt: Erst die negativen Gewohnheiten führen auf Dauer zum Stress.

So hilft Autogenes Training

• Die gefühlsmäßige Verbindung zwischen Rauchen, Entspannung und Freiheitsgefühl wird gelöst.

• Stattdessen kann echte Entspannung erfahren werden, die einen hochwertigen Ersatz fürs Rauchen bietet.

• Entzugserscheinungen können abgemildert werden.

TIPP

Machen Sie sich klar, warum Sie mit dem Rauchen aufhören möchten. Was motiviert Sie dazu? Möchten Sie gesund bleiben? Könnten Sie das Geld sinnvoller anlegen? Möchten Sie besser riechen? Möchten Sie auch in Zukunft gesund und gepflegt aussehen?

Zum Abgewöhnen: Pektin statt Nikotin

Die folgende Übung sollten Sie täglich wiederholen:

➤ Führen Sie die Grundübungen durch.

➤ Wenn Sie völlig gelöst und gelassen sind, stellen Sie sich vor Ihrem inneren Auge deutlich und in allen Einzelheiten eine Zigarette vor: wie das Nikotin riecht, welche Sorte Sie bevorzugen oder in welcher Situation Sie am liebsten rauchen.

➤ Verwandeln Sie nun in Ihrer Vorstellung diese Zigarette in einen Apfel oder ein anderes gesundes Nahrungsmittel, das Sie mögen.

➤ Führen Sie die Rücknahme durch.

Grüne Waldluft statt blauem Dunst

Alternativ können Sie es mit folgender Übung versuchen:

➤ Führen Sie die Grundübungen bis zur Atemübung durch.

➤ Im Entspannungszustand stellen Sie sich vor, wie frische, klare Waldluft in Ihre Lunge strömt. Füllen Sie in Gedanken Ihre Lunge vollständig mit Sauerstoff. Vertiefen Sie die Atemübung mit der Formel: »Es atmet mich.«

➤ Stellen Sie sich weiterhin vor, wie der Sauerstoff in jeden Winkel Ihres Körpers strömt und wie rosig die Haut durchblutet wird.

➤ Stellen Sie sich vor, wie Sie ab jetzt Ihrer Lust auf eine Zigarette jedes Mal dieses Bild entgegensetzen.

➤ Führen Sie die Rücknahme durch.

VORSATZFORMELN

Ich atme ruhig ein und aus, Rauchen ist mir völlig egal.

Ich bin stolz auf mich, weil ich das Rauchen besiegt habe.

Andere Dinge sind mir wichtiger als das Rauchen.

Rauchen ist unwichtig, ich bin frei und satt.

SCHLAFSTÖRUNGEN

»Der Schlaf ist wie eine Taube, man muss nur die Hand ausstrecken. Greift man aber nach ihr, so fliegt sie davon«, sagte treffend der Schweizer Nervenarzt Paul Dubois. Anders formuliert: Wir können uns nicht zwingen zu schlafen. Normalerweise geschieht es ganz von selbst. Auf Spannung folgt Entspannung und umgekehrt. Klappt das jedoch nicht (mehr), kann Autogenes Training helfen.

Das geschieht im Körper

Jeder Mensch hat einen ganz eigenen Schlafrhythmus, wobei etwa in zweistündiger Folge leichte und tiefe Schlafphasen einander abwechseln. Geht man daher zu einer unüblichen Zeit ins Bett, kann man Probleme bekommen, weil dieser Schlafrhythmus durcheinandergerät. Kommt das häufiger vor, kann sich der Körper nicht ausreichend erholen – man ist tagsüber müde. Außerdem gibt es die Idealvorstellung von acht Stunden Schlaf, möglichst in der Zeit zwischen 22 und sechs Uhr. Dies führt bei manchen Zeitgenossen dazu, dass sie zwanghaft an dieser Zeit festhalten. Dabei braucht der eine Mensch mehr, der andere wesentlich weniger Schlaf. Frauen benötigen in der Regel mehr Schlaf als Männer und sollten ihn sich auch gönnen.

So reagiert die Psyche

Ist ein Mensch schlafgestört – dabei kann er unter Ein- ebenso wie unter Durchschlafstörungen leiden –, führt das meist in einem Teufelskreis dazu, dass er dem Schlafen besondere Aufmerksamkeit widmet und durch diese Fixierung erst recht nicht mehr (ein-) schlafen kann. Das Ergebnis ist eine ständige Übermüdung und eine Verschärfung der inneren Anspannung. Durch die Übungen des Autogenen Trainings lässt die Anspannung nach, der Körper kommt zur Ruhe, das Bewusstsein engt sich auf die körperlichen Vorgänge ein, und belastende Gedanken treten in den Hintergrund.

So hilft Autogenes Training

• Bereits die Schwere- und Wärmeübung lässt eine gewisse Müdigkeit aufkommen. Durch die weiteren Übungsschritte wird der Zustand vertieft, sodass sich nun leichter ein-

TIPP

Verabschieden Sie sich von Problemen, die Sie tagsüber nicht lösen konnten. Denken Sie lieber daran, was Sie Positives verwirklichen möchten. Außerdem ist intensive körperliche Betätigung am Tag hilfreich, ebenso ein warmes Bad oder ein warmes Glas Honigmilch vor dem Zubettgehen. Es kann außerdem helfen, wenn Sie immer zur gleichen Zeit schlafen gehen.

schlafen lässt. Kühle Stirn und Rücknahme braucht es hier nicht.

- Zudem wird eine neue, entspanntere Einstellung zum Schlafen gefunden.

Einschlafübung ● Track 5

Lassen Sie Probleme, die Sie wach halten, einfach schrumpfen.

➤ Führen Sie die Grundübungen durch, bis Sie ganz entspannt sind.

➤ Stellen Sie sich vor, wie Sie sich in Ihrem Bett einkuscheln. Sehen Sie vor Ihrem inneren Auge, wie Sie in Ihrem Zimmer in Ihrem Bett in Ihrer Wohnung liegen, wie klein Sie sich in Ihrer Stadt, Ihrem Dorf, in der Landschaft ausmachen, wie Sie in Ihrem Land ruhen, wie Sie sich auf der Erdkugel ganz winzig ausnehmen und vom Weltraum aus überhaupt nicht mehr zu sehen sind.

➤ Ist Ihr Problem noch so groß, dass Sie nicht schlafen können?

Durchschlafübung

Falls Sie nicht durchschlafen können, hilft folgende Übung:

➤ Führen Sie die Grundübungen durch.

➤ Falls Sie dabei noch nicht eingeschlafen sind, ziehen Sie Ihre Gedanken von den Geschehnissen des Tages ab und lenken sie auf folgendes Bild: Sie liegen am Strand und beobachten die Wellen des Meeres. Wenn sie heranrollen, bringen sie Ihnen Frische und Entspannung. Wenn sie sich zurückziehen, nehmen sie sich im Kreis drehende Gedanken sowie alle Spannungen mit sich fort.

VORSATZFORMELN

Einschlafen: Die Augen sind müde und schwer. Ich gleite ganz von selbst in einen erholsamen Schlaf. Der Schlaf wird von selbst gesteuert und ist mir daher ganz egal.

Durchschlafen: Liebevoll lasse ich den Tag los und gleite in den Schlaf mit der Gewissheit, dass der morgige Tag für sich selbst sorgen wird. Am Morgen wache ich erfrischt auf.

SCHMERZ

Gehören Sie zu den etwa 7,5 Millionen Schmerzgeplagten hierzulande? Dann wissen Sie sicherlich bereits, in welch starkem Maß Schmerzen von äußeren Faktoren abhängig sind. Bei Ablenkung können sie abnehmen, während Angst sie verstärkt. Das bedeutet, dass Sie sehr gut selbst etwas gegen Ihre Schmerzen unternehmen können: durch Autogenes Training.

Das geschieht im Körper

Akute Schmerzen haben eine lebenswichtige Funktion. Sie machen auf eine Verletzung aufmerksam, sodass rasch Hilfe einsetzen kann. Heilt die Verletzung, verschwindet der Schmerz. Durch stetig wiederkehrende Schmerzsignale können sich aber auf Dauer die Nervenzellen so verändern, dass sich der Schmerz verselbstständigt. Viele greifen dann zu Schmerzmitteln, die bekanntermaßen Nebenwirkungen und den Effekt der Gewöhnung haben. Viele körperliche Leiden wie Rheuma oder Tumorerkrankungen gehen mit Schmerzen einher. Die Grunderkrankung gehört natürlich in ärztliche Hand, aber auf die Schmerzen können Sie mit Autogenem Training Einfluss nehmen.

> **TIPP**
>
> Da Angst den Schmerz verstärkt, sollten Sie zunächst mit Vorsatzformeln gegen die Angst angehen. So lockern sich die Verkrampfungen, die Energie kann wieder frei fließen – und der Schmerz nimmt ab.

So reagiert die Psyche

Auf einen psychischen Ursprung der Schmerzen lässt sich schließen, wenn sie wandern: Kaum wurden sie erfolgreich behandelt, tauchen sie an einer anderen Stelle erneut auf. Ihre Ursachen können vielfältig sein: Sie können der Entlastung in einem Konflikt dienen oder ausdrücken, dass der Körper gegen ein bestimmtes Verhaltensmuster wie Leistungsbesessenheit oder Bewegungsmangel rebelliert. Schmerzen können auch erlernt sein, so reagieren in manchen Familien fast alle mit Kopfschmerzen auf unangenehme Konfliktsituationen.

So hilft Autogenes Training

• Die Grundübungen in Verbindung mit einer wirksamen Formel unterbrechen die Bahn, die den empfundenen Schmerz und den Thalamus verbindet. Der Thalamus verarbeitet den Schmerz im Gehirn. Wird die Nervenleitung zu ihm hin unterbrochen, kann der Schmerz zwar wahrgenommen, aber nicht weiterverarbeitet werden. Er äußert sich dann eher als ein neutrales Gefühl, das kein so unschönes Leiden mehr auslöst.

Schmerz in Wärme verwandeln

Mit folgender Übung können sich aufgrund der tiefen Ruhe des Nervensystems Verspannungen lösen und die Schmerzen in Wärme verwandeln. Je öfter Sie üben, umso eher werden Sie Erfolge erzielen. Und haben Sie erst einmal einen positiven Effekt erreicht, können Sie ihn immer schneller und umfassender wiederholen.

➤ Machen Sie die Grundübungen des Autogenen Trainings.

➤ Stellen Sie sich den Schmerz ganz genau vor: Wie sieht er aus? Welche Farbe hat er? Ist er groß oder klein? Was teilt er Ihnen mit?

➤ Legen Sie dann Ihre warme Hand auf die schmerzende Stelle. Unter der Hand spüren Sie wohltuende Wärme, Entspannung und gesteigerte Durchblutung. Stellen Sie sich vor,

wie sich die Schmerzen langsam in Wärme verwandeln.

➤ Führen Sie dann die Rücknahme durch.

VORSATZFORMELN

Schmerz allgemein: Ich bin und bleibe ruhig und frei von Angst und Schmerz. Die Entspannung ist wichtiger als der Schmerz. Alle Verspannungen und Stauungen lösen sich. Der Körper wird ganz angenehm gelöst und schmerzfrei. Der Schmerz löst sich langsam auf und schmilzt.

Nach Operationen: Der Schmerz geht vorbei, ich weiß es.

Zahnschmerzen: Der Mund ist angenehm kühl, die Schmerzen schmelzen.

Anmerkung: Bei äußeren Schmerzen, die Haut, äußere Schleimhäute oder Zähne betreffen, sollte Kühle suggeriert werden, bei inneren Schmerzen hilft eher Wärme als Vorsatz.

ÜBUNGEN FÜR POWER UND ERFOLG

Das Autogene Training hilft nicht nur bei körperlichen Beschwerden. Sie können es darüber hinaus zur bewussten Lebensgestaltung einsetzen. Dazu gehört zuallererst einmal der Stressabbau, um Freiräume für Neues zu schaffen. Dann können Sie Ihre Lern- und Leistungsfähigkeit steigern und Ihr Selbstbewusstsein gezielt stärken. Auch die Kreativität gehört zu einer erfolgreichen Lebensplanung – und nicht zuletzt der konstruktive Ausblick in die erfolgreiche und lebenswerte Zukunft, die Sie sich wünschen.

SIE SIND DER GESTALTER IHRES LEBENS

Nur einen kleinen Teil unseres Lebens erfahren wir bewusst, der weitaus größere Bereich wird in der unbewussten Ebene verarbeitet und wirkt sich dennoch in Handlungen aus, die unser Leben beeinflussen. Dieser unbewusste Bereich ist also enorm wichtig, aber wir kennen ihn eigentlich nicht. Nur gelegentlich erhaschen wir einen indirekten Zugang zu diesen verborgenen Welten, wenn wir uns auf unsere »innere Stimme« verlassen, eine »Intuition« oder »Inspiration« haben.

Das alles heißt aber nicht, dass wir unserem Unbewussten einfach so ausgeliefert sind. Gerade mit dem Autogenen Training haben wir die Möglichkeit, Bewusstes und Unbewusstes in Harmonie zu bringen – und das Unbewusste somit anzuregen, sich für unsere bewussten Wünsche einzusetzen.

Harmonie herstellen

Durch den immer tieferen Entspannungszustand beim Autogenen Training gelangen wir in einen Trancezustand, der uns den Zugang zum eigenen Unbewussten eröffnet – eine Selbsthypnose wird möglich. Indem wir auf diese Weise eine Kooperation von Bewusstem und Unbewusstem erreichen, wird unser

> **TIPP**
>
> **Wollen Sie Ihr Autogenes Training erfolgreich intensivieren? Dann sollten Sie jedes Mal, wenn Sie üben, die folgende Vorsatzformel verwenden:**
>
> Mit jeder Übung des Autogenen Trainings komme ich tiefer und schneller in einen Entspannungszustand.

Leben zunehmend glücklicher und erfolgreicher. Denn solange beide im Widerstreit stehen, siegt immer das Unbewusste. Wir wollen glücklich sein – solange unser Unbewusstes aber »Ach, ich Unglücksrabe« gespeichert hat, werden wir uns immer dieser weniger angenehmen Vorgabe anpassen.

In der Oberstufe des Autogenen Trainings haben wir die Möglichkeit, die Tür zu unserem Inneren zu öffnen, dadurch Selbsterkenntnis zu gewinnen, neuartige Problemlösungen »zu erfinden« und alte Muster, die uns in der Kindheit geprägt haben, zu verändern. Wir finden den Zugang zu unserer verborgenen Kreativität und können mit ihrer Hilfe neue, kraftvolle Visionen für die Zukunft entwickeln.

Positive Worte und kraftvolle Bilder

Da unser Unbewusstes, wie auch in den Träumen, überwiegend die Bildersprache anwendet, finden wir mit den passenden Vorstellungen oft eine noch umfassendere Veränderungsmöglichkeit als nur mit selbstgewählten Formeln, die sich besser für spezielle Anwendungen eignen. Die Angebote auf den folgenden Seiten regen Sie daher vor allem dazu an, sich Ihr Leben in intensiven, für Sie kraftvollen, positiv besetzten Bildern vorzustellen. So können sich genau diese Bilder tief im Unterbewusstsein verankern und immer stärker auch im Bewussten und schließlich im Alltag wirken. Auch hierbei sind Sie eingeladen, selbst kreativ zu werden: Mit dem grundlegenden Handwerkszeug des Autogenen Trainings stehen Ihnen alle Türen für Ihre optimale Entfaltung offen.

Sie wecken das Potenzial in Ihrem Inneren – und Ihr Leben wird nicht mehr dasselbe sein.

STRESS ADIEU!

Der menschliche Körper verlangt nach zirka anderthalb bis zwei Stunden Tätigkeit eine Pause, um sich zu regenerieren. Man möchte sich plötzlich recken und strecken, muss herzhaft gähnen, hat Appetit auf Süßes oder einen kleinen Imbiss, schweift gedanklich ab. Werden diese Signale nicht beachtet und kommt vielleicht noch ein Dauerstress hinzu, weil wir uns zu viel vornehmen oder unsere Ansprüche in eine falsche Richtung lenken, so schüttet der Körper vermehrt leistungssteigernde »Stresshormone« wie Adrenalin und Noradrenalin aus. Wir können also weiterarbeiten – schaden langfristig gesehen aber unserer Gesundheit.

Sie haben es in der Hand

Wenn wir häufig über die Rufe des Körpers nach Pausen und Entspannung hinweggehen, wirkt sich das negativ auf unsere Gesundheit aus. Der Körper baut ab, und das schränkt langfristig natürlich auch unsere Leistungsfähigkeit ein. Deshalb sind regelmäßige Kurzpausen sinnvoll. Nehmen Sie inmitten von Stress, Hektik und den großen oder kleinen Problemen des Alltags hin und wieder einige Minuten Kurzurlaub für Körper, Geist und Seele. Denn schon wenige Momente der inneren Erholung reinigen die Fenster der Wahrnehmung, bringen Abstand zu den Problemen des Tages und zeigen damit eine neue Perspektive auf, aus der Sie die Welt wieder gelöst und klar sehen können. Auch beispielsweise auf dem Rastplatz während längerer Autofahrten oder bei Unruhezuständen und Konzentrationsstörungen in Prüfungen versprechen die Minipausen schnelle Regeneration. Indem Sie das Autogene Training regelmäßig anwenden, stellen Sie sich immer mehr auf Ruhe ein, und Sie werden sich immer seltener ärgern oder aufregen.

So hilft Autogenes Training

- Sie können länger leistungsfähig und fit bleiben.

- Indem Sie dem Körper mit dem Autogenen Training die notwendigen Ruhepausen verschaffen, stärken Sie auch das Immunsystem optimal.

- Sie gewinnen Abstand zu Stressfaktoren und neutralisieren Ihre innere Unruhe und eventuelle Ängste.

TIPP

Wenn Sie intensiv arbeiten, sollten Sie alle 90 bis 120 Minuten eine kurze Pause mithilfe des Autogenen Trainings einlegen, damit Geist und Körper wieder miteinander in Harmonie kommen können.

Grundübung Stressabbau

Eine sehr einfache und gleichzeitig überaus effektive Übung, um Stress abzubauen, ist die folgende:

➤ Führen Sie die Grundübungen des Autogenen Trainings durch.

➤ Stellen Sie sich vor, wie Sie mit jedem Atemzug strahlende orangefarbene Energie in sich aufnehmen und wie Sie während des Ausatmens dunkelgraue, energielose Luft wieder ausatmen.

➤ Spüren Sie in Ruhe in sich hinein und stellen Sie sich nun vor, wie Sie mit jedem Ein- und mit jedem Ausatmen immer wacher und frischer werden.

➤ Führen Sie die Rücknahme durch.

VORSATZFORMELN

Im gelassenen Zustand finde ich die Lösung für mein Problem. Ich fühle mich erfrischt und erlebe den Tag entspannt und im Gleichgewicht. Nach der Übung fühle ich mich frisch und erholt.

Ein Ort der Ruhe und Entspannung

In Zeiten, in denen Sie sich unruhig oder sogar gehetzt fühlen, können Sie sich innerlich einen Ort der Ruhe und Entspannung schaffen, an dem Sie sich mehrmals täglich kurz erholen können.

➤ Machen Sie die Grundübungen des Autogenen Trainings.

➤ Erinnern Sie sich an einen Platz, der Ihnen Frieden, Schönheit und Harmonie vermittelt hat. Versetzen Sie sich mit allen Sinnen dorthin. Was hören Sie? Was spüren, sehen, riechen Sie?

➤ Führen Sie dann die Rücknahme durch.

VORSATZFORMELN

Ich bin erholt, fühle mich frisch und wach. Nach der Übung bin ich erfrischt und munter.

SO STEIGERN SIE IHRE KONZENTRATION

Haben Sie schon einmal eine Katze beobachtet, die vor einem Mauseloch sitzt oder sich an ihre Beute heranschleicht? Sie ist dabei völlig konzentriert, ihre Wahrnehmung richtet sich ausschließlich auf das Objekt, innere und äußere Reize werden ausgeschaltet. Nur ein sehr starker Reiz kann die Fixierung lösen. Sowohl Menschen als auch Tiere besitzen diese Fähigkeit zur ausschließlichen Konzentration. Aber ein Tier kann bewusst keine Auswahl treffen, das können nur wir Menschen. Und deshalb sind wir auch in der Lage, Konzentration zu lernen.

Sie haben es in der Hand

Während wir das Autogene Training praktizieren, ist unsere Konzentrationsfähigkeit automatisch gesteigert, und trotzdem befinden wir uns in einem tiefen Entspannungszustand. Das klingt zwar paradox, ist es aber nicht. Falls Sie einem intensiven Hobby nachgehen, kennen Sie sicher das Gefühl, konzentriert bei der Sache zu sein und sich trotzdem zu erholen - Sie sind dann bestens im Fluss. Ein Ausnahmezustand?

Mit der regelmäßigen Anwendung des Autogenen Trainings lernen Sie, diese Fähigkeit der perfekten und zugleich gelösten Fokussierung zu steuern und auszubauen. Ähnlich einem Weitspringer, der sich erst einmal mit dem Körper nach hinten beugt, bevor er Anlauf nimmt und mit aller Kraft auf sein Ziel zusteuert, können auch Sie sich besser anspannen und konzentrieren, wenn Sie zuvor kurz aktiv entspannt haben.

Auch zwischendurch mitten im Alltag sollten Sie bei ermüdenden Aufgaben immer wieder kurz entspannen. Das tun Sie am besten, indem Sie mithilfe des Autogenen Trainings den Körper lockern und Ihre Aufmerksamkeit zunächst nach innen und erst anschließend wieder auf die zu bewältigende Aufgabe richten.

So hilft Autogenes Training

• Sie lernen, Ihre Aufmerksamkeit auf ein Ziel zu lenken, um es schneller zu erreichen.

• Bald können Sie auch ermüdende Aufgaben wach und konzentriert meistern.

• Sie werden bald immer weniger gedanklich abschweifen.

TIPP

Motivieren Sie sich selbst, indem Sie sich fragen: Was an der vor mir liegenden Aufgabe ist für mich besonders wichtig oder interessant? Wie bringt mich diese Aufgabe im Leben voran? Inwiefern bessert sich meine Lebenssituation, wenn ich sie bewältige?

Konzentrative Kraft sammeln

🔘 Track 3

Um sich zu konzentrieren, muss Ihr Kopf in Leistungsbereitschaft versetzt sein, während der übrige Körper ganz entspannt bleibt.

➤ Führen Sie die Grundübungen bis zur »kühlen Stirn« durch.

➤ Wählen Sie im entspannten Zustand einen Gegenstand im Raum aus, der Ihre Aufmerksamkeit anzieht. Legen Sie ihn neben sich und betrachten Sie ihn genau.

➤ Schließen Sie die Augen und versuchen Sie, sich den Gegenstand nun in allen Einzelheiten vorzustellen: seine Farbe und Größe, seine raue oder glatte Oberfläche, seine Temperatur …

➤ Lassen Sie ihn vor einem dunklen Hintergrund hell erscheinen und richten Sie Ihre Gedanken ganz auf diesen Gegenstand aus.

➤ Spüren Sie die konzentrative Kraft, mit der Sie sich diesem Gegenstand widmen, und

formulieren Sie gedanklich, dass Sie diese Konzentration nach der Rücknahme auf Ihre zu bewältigende Aufgabe richten werden. Immer, wenn Sie diesen Gegenstand später betrachten, werden Sie an diese Konzentration erinnert.

➤ Dann stellen Sie sich vor, wie Sie neugierig an Ihre Aufgabe herangehen. Sie malen sich genau aus, welches Ziel Sie mit Ihrer Aufgabe verbinden (Geld verdienen, kreativ sein, Spaß haben usw.).

➤ Lassen Sie nun Bilder der Konzentration aufsteigen: einen Sportler, der konzentriert am Start steht, oder einen Schachspieler, der seine volle Aufmerksamkeit auf das Schachbrett richtet.

➤ Dann führen Sie die Rücknahme durch.

VORSATZFORMELN

Meine Gedanken bleiben beim Thema.

Das Lernen geht leicht.

Mein Gedächtnis behält das Wesentliche.

LEISTUNGS- UND LERNBLOCKADEN ÜBERWINDEN

Hinter Leistungsblockaden steckt in der Regel Angst. Zwar fördert eine leichte Span-nung die Konzentration, steigen Druck und Stress aber stark an, kann es sein, dass die Nervenströme blockiert werden. Auf der körperlichen Ebene kann das Magen-schmerzen und durchfallartige Entleerungen auslösen. Manchmal ist ein tiefer sit-zendes Autoritätsproblem die psychische Ursache, und dann bedarf es einer psycho-therapeutischen Behandlung. Ist die Störung jedoch nicht so ausgeprägt, verspricht das Autogene Training ausgezeichnete Erfolge.

Sie haben es in der Hand

Lernblockaden finden sich oft bei Menschen, die viel zweifeln und nach Perfektion streben. Da solche Menschen dazu neigen, immer wieder alles neu zu überprüfen, kommen sie oft nur schwer oder gar nicht zu einem Ergeb-nis. Im Extremfall sträuben sie sich sogar, überhaupt etwas zu lernen. Sozusagen als Gegenmittel zu Druck und Stress gewinnen sie durch das Autogene Training mehr Ruhe, Ge-lassenheit, Vertrauen und damit eine andere Einstellung zu Lernen und Leistung.

TIPP

Achten Sie bei den Formeln genau auf die Wortwahl. Sonst kann es Ihnen er-gehen wie einem Patienten, der die Vorsatzformel »Die Prüfung ist völlig gleichgültig« verwendete. Befragt, wie es denn gelaufen sei, antwortete er: »Die Prüfung ist mir völlig egal, ich bin gar nicht hingegangen.«

Mithilfe von Vorsatzformeln können Sie dem Lernen sogar einen »Lusteffekt« entlocken, indem Sie nach interessanten Aspekten Aus-schau halten, über die Sie gern mehr erfah-ren möchten. Außerdem können Sie mithilfe des Autogenen Trainings Ihre Vorstellungs-kraft entwickeln und anwenden, um Zweifel sowie einen übermäßigen Willen – häufige Ursachen von Lern- und Leistungsblockaden – abzumildern und in die rechten, ausgewo-genen Bahnen zu lenken.

So hilft Autogenes Training

- Angst, Druck und Stress vor Prüfungen oder auch wichtigen Gesprächen werden vermindert.

- Sie gewinnen spürbar mehr Gelassenheit und Vertrauen.

- Sie können sich entspannt und erfolgreich auf jede Art von Prüfung vorbereiten.

Locker und gelassen bleiben

Bei langfristigen Vorbereitungsphasen vor Prüfungen, aber auch beim täglichen Lernen hat sich das folgende Vorgehen bewährt.

➤ Bevor Sie zu arbeiten oder zu lernen beginnen, schalten Sie eine vierminütige gezielte Entspannungsphase des Autogenen Trainings ein und beenden Sie diese mit der Vorsatzformel:

Ich bin jetzt leistungsfähig.

➤ Wenn Sie zwischendurch beim Lernen feststellen, dass Ihre Gedanken abschweifen, schalten Sie eine vierminütige Tiefenentspannung dazwischen, die Sie mit der Suggestion beenden:

Ich bin erfolgreich.

➤ Stellen Sie sich dann kurz mithilfe eines inneren Bildes vor, wie Sie die geforderte Leistung gelungen bewältigt haben. Das motiviert Sie, wodurch Sie Ihre Gedanken sammeln und sich besser konzentrieren können.

➤ Beginnen Sie drei Wochen vor einer Prüfung mit der Formel:

In der Prüfung bin ich ruhig und gelassen.

Ich verfüge in der Prüfung über mein erlerntes Wissen.

➤ Nach jeder einzelnen der beschriebenen Übungen sollte natürlich wie immer die Rücknahme erfolgen.

VORSATZFORMELN

Konzentriert und aufmerksam präge ich mir alles Wichtige ein.

Lernen geht leicht.

Das Lernen geht wie von selbst.

DIE KREATIVITÄT WECKEN

Kreativ kann nur sein, wer mit einer gewissen Unbekümmertheit an eine Aufgabe herangeht, die Gedanken frei fließen lässt, ohne sie zu zensieren, und für das vor ihm Liegende eine gewisse Faszination aufbringt. Sie haben sicher schon einmal beobachtet, wie versunken Kinder beim Spielen sind und wie viele Einfälle sie haben. Spielerisch mit einer Aufgabe umzugehen, fördert auch Ihre kreativen Fähigkeiten – und die auszuleben, das macht einfach größte Freude.

Sie haben es in der Hand

Vadim S. Rotenberg, ein russischer Arzt und Neurowissenschaftler, hat 1982 herausgefunden, dass Kinder in ihren ersten Lebensjahren vorwiegend ganzheitlich, bildlich und kreativ vorgehen. Später, vor allem in der Schule, werden sie dazu erzogen, immer mehr logisch und linear zu denken. Heute wissen wir: Es lohnt sich, das wieder auszugleichen. Um die verschiedenen Hirnareale besser zu verknüpfen und zu synchronisieren und damit kreativer zu werden, bedarf es beim Erwachsenen einer »schöpferischen Pause«, die auch durch die Kurzentspannung des Autogenen Trainings erfolgen kann: Danach arbeitet unser Gehirn als Ganzes wieder schneller, effizienter und einfallsreicher.

Kreativität entsteht, wenn sich im Zustand der Entspannung neue Inhalte mit bekannten Informationen verknüpfen. Denken wir zu rational und logisch, schränken wir damit unsere spontanen Einfälle, Ideen und Anregungen ein. Unter Druck beispielsweise greifen wir eher auf die immer gleichen, bekannten Denkmuster zurück. Tiefe Entspannung wie beim Autogenen Training entlastet uns jedoch, Inhalte werden dabei auf eine neue Art miteinander verknüpft, was sich besonders augenfällig nachts im Traum äußert. Im Bewusstsein werden unsere Einfälle dann einer kritischen Prüfung unterzogen.

So hilft Autogenes Training

• Es ermöglicht Ihnen, das Potenzial zu wecken, das in Ihnen steckt.

• Sie können durch die Entspannung verschiede Bereiche im Gehirn miteinander synchronisieren und damit Ihr Kreativitätspotenzial erweitern.

• Das Autogene Training kann Ihre schöpferischen Pausen vertiefen.

TIPP

Schaffen Sie sich mithilfe des Autogenen Trainings einen »inneren Raum«, aus dem heraus Sie kreieren, also Neues und für Sie Wertvolles hervorbringen können.

Setzen Sie Ihr Gehirn ganzheitlich ein

Lassen Sie Ihr ganzes Gehirn für sich arbeiten, indem Sie schöpferische Pausen einlegen.

➤ Füttern Sie dazu Ihr Gehirn zunächst mit allem Wissenswerten und allen Erfahrungen zu einem Thema.

➤ Dann lassen Sie los und machen etwas ganz anderes: Hören Sie Musik oder gehen Sie spazieren. Damit geben Sie Ihrem Gehirn Gelegenheit, verschiedene Bereiche miteinander zu verknüpfen.

➤ Sie können auch bewusst träumen, nachdem Sie sich zunächst rational mit einem Thema beschäftigt haben: Nehmen Sie sich in der Entspannung des Autogenen Trainings vor, zu Ihrem Thema etwas zu träumen. Legen Sie Stift und Papier neben das Bett. Nach der Rücknahme schreiben Sie sofort alle Trauminhalte und Einfälle auf.

Kreative Einfälle wecken

Beim Autogenen Training werden verschiedene Gehirnareale zusammengeführt, indem sie in einen gleichen Schwingungszustand geraten. Dadurch können neue Wahrnehmungen und Bewusstseinszustände entstehen – die Kreativität wird gefördert.

➤ Führen Sie die Grundübungen des Autogenen Trainings durch.

➤ Lassen Sie ein inneres Bild aufsteigen.

➤ Überlegen Sie nun, was dieses Bild mit dem zu tun haben könnte, was Sie sich vorgenommen haben.

➤ Führen Sie die Rücknahme durch.

VORSATZFORMELN

Interessante Gedanken kommen auf mich zu und machen mich neugierig.

Mein innerer Künstler hilft mir mit besonderen Einfällen.

Ich lasse kreative Ideen in mir aufsteigen.

SELBSTVERTRAUEN GEWINNEN

Um gut im Leben zurechtzukommen, sollten Sie sich für sich selbst und andere einsetzen und Ihre Gefühle nicht nur spüren, sondern auch adäquat mit ihnen umgehen können. Außerdem sollten Sie in der Lage sein, den nötigen Abstand zu Problemen herzustellen, um entspannt und konstruktiv an Schwierigkeiten herangehen zu können. Die gelassene Einstellung ist dabei maßgeblich, Ärger und Wut verstellen jedoch häufig den Weg dafür, die bestmögliche Lösung zu finden. Wie also sollte man mit diesen Emotionen umgehen?

Sie haben es in der Hand

Beides ist problematisch: sowohl aggressiv ausgelebte Wut als auch unterdrückte Aggressionen, die sich gegen einen selbst richten und sich nach außen hin eher in Antriebslosigkeit und mangelndem Selbstvertrauen zeigen. Affekte wie Wut und Zorn entstehen im Zwischenhirn, wo sich gleichzeitig eine Art Schaltstelle befindet, an der körperliche Reaktionen und Gefühle miteinander verknüpft werden. Da die Körperübungen des Autogenen Trainings – nämlich die Schwere-Wärme-Übung – hier ebenfalls ihren Ansatzpunkt haben, kann man auch im umgekehrten Sinn über die Körperreaktionen seine Gefühle positiv beeinflussen.

Wird das Autogene Training regelmäßig angewendet, werden Sie automatisch gelassener und gewinnen damit einen gesunden Abstand zu Problemen. Affekte lösen sich nach Meinung von Professor Schultz mit der Zeit praktisch auf. Insgesamt werden Sie ausgeglichener und gewinnen deutlich an Selbstvertrauen, wobei das meistens den Menschen in Ihrer Umgebung eher auffällt als Ihnen selbst. Untersuchungen haben sogar ergeben, dass viele Bettnässerkinder aufhören einzunässen, wenn die Mutter das Autogene Training erlernt.

So hilft Autogenes Training

* Nach und nach werden Sie gelassener und selbstbewusster.

* Bald können Sie all die Dinge, die Sie sich vornehmen, auch schaffen.

* Sie gewinnen Selbstvertrauen und meistern damit den Alltag besser.

TIPP

Die Teilentspannung von Seite 73 können Sie sogar im Stehen ausführen. Dazu lehnen Sie sich an eine Wand, grätschen Ihre Beine ein wenig, um einen festen Stand zu haben, neigen den Kopf leicht nach vorn und lassen die Arme locker baumeln.

Sie sind Ihr eigener Boss

Indem Sie bewusst die Verantwortung für Ihr Leben in die eigenen Hände nehmen, wird sich Ihr Dasein in der gewünschten Weise verändern können.

➤ Führen Sie die Grundübungen des Autogenen Trainings durch.

➤ Stellen Sie sich nun den Begriff Verantwortung als eine große Kugel in Ihren Händen vor, die mit orangefarbenem Licht gefüllt ist. Sie sind vielleicht erstaunt, wie sich diese Kugel anfühlt: Sie ist nämlich gar nicht schwer, sondern es ist eher ein angenehmes Gefühl, die Energie, die von der Kugel ausgeht, zu spüren und wahrzunehmen, wie sie sich mehr und mehr auf Sie überträgt.

➤ Es folgt die Rücknahme.

Teilentspannung, um Wut loszulassen ● Track 4

Steigt Ärger hoch, ist es oft zu spät, die typische Übungsform des Autogenen Trainings durchzuführen. Hier hilft die Teilentspannung.

➤ Atmen Sie langsam aus und entspannen Sie dabei den Schultergürtel, indem Sie die Schultern nach unten sinken lassen. So gelangen Sie in einen Entspannungszustand. Verwenden Sie die Vorsatzformel:

Schultern schwer, ich bin ganz ruhig.

➤ In diesem Fall erfolgt keine Rücknahme!

VORSATZFORMELN

Ich bin für mein eigenes Leben verantwortlich und gestalte es nach meinen Wünschen. Ich denke klar und bin gelassen.

MEHR ERFOLG IM LEBEN

Erfolg bedeutet, seine persönlichen Ziele zu erreichen. Und diese unterscheiden sich von Mensch zu Mensch. Wie auch immer Ihre individuellen Ziele aussehen: Wichtig ist in jedem Fall, sich bewusst zu machen, dass Sie alles, was Sie für den Erfolg brauchen, bereits in sich tragen. Der Schlüssel dazu liegt in Ihrem Unterbewusstsein. Voraussetzung für den Erfolg ist, an sich selbst zu glauben und davon überzeugt zu sein, dass Sie ihn verdienen und mit Sicherheit haben werden. Zu dieser Einstellung verhilft Ihnen das Autogene Training.

Sie haben es in der Hand

Stellen Sie stets die Ansprüche an sich, die Ihren gegenwärtigen Möglichkeiten entsprechen. Stecken Sie Ihre Ziele höher, müssen Sie mit Hindernissen rechnen, aber die gehören nun mal dazu. Wenn Sie sie als Herausforderung und Möglichkeit zum Lernen betrachten und die Ziele realistisch sind, dann können Sie auch erfolgreich sein.

Da Erfolg mit der Vorstellung von Erfolg beginnt, setzt das Autogene Training genau hier an. Sie versetzen sich mithilfe der Übungen in einen hypnoseähnlichen Zustand und programmieren sich selbst auf Ihren Erfolg hin. Das klappt nicht von heute auf morgen, sondern nur, wenn Sie regelmäßig üben. Um die Botschaften fest in Ihrem Unterbewusstsein zu verankern, sollten Sie von einer Übungszeit von mindestens drei Wochen ausgehen. Je länger Sie üben, umso wirkungsvoller ist natürlich das Autogene Training.

Probieren Sie es aus: Suchen Sie sich ein realistisches Ziel und dann üben Sie! Die passenden Vorsatzformeln können Sie dabei unterstützen. Auch Ihr Selbstbewusstsein wird auf diese Weise gestärkt, denn Sie werden sich Ihrer selbst und Ihrer Ziele mehr bewusst. Und jeder Erfolg bestärkt Sie natürlich zusätzlich.

So hilft Autogenes Training

- Sie nehmen Ihr Lebensglück selbst in die Hand, denn Ihr Erfolg beginnt in Ihrem eigenen Kopf.

- Es unterstützt Sie, sich selbst treu zu bleiben und nicht andere nachzuahmen, sich zu entspannen und einfach Sie selbst zu sein.

TIPP

Setzen Sie sich ein klares, aber erreichbares Ziel. Beschreiben Sie es für sich auf einem Blatt Papier. Dann visualisieren Sie Ihr Ziel im entspannten Zustand des Autogenen Trainings. Automatisch werden Sie mehr Möglichkeiten wahrnehmen, die Ihnen bei der Verwirklichung helfen können.

- Es ermöglicht Ihnen, etwas Schönes zu tun, während Sie gelassen und selbstsicher auf den Erfolg warten.

- Unruhe und Angst neutralisieren sich.

Mit mehr Selbstbewusstsein zum Erfolg

Diese Übung führt Sie in Ihre erfolgreiche und glückliche Zukunft.

➤ Führen Sie die Grundübungen durch.

➤ Stellen Sie sich vor, wie Sie in drei Monaten leben werden. Wie sehen Sie aus? Wo befinden Sie sich? Wer ist bei Ihnen?

➤ Stellen Sie sich vor, wie Sie in einem Jahr leben werden. Was hat sich bis dahin verändert? Was haben Sie neu hinzugewonnen?

➤ Stellen Sie sich vor, was Sie in fünf Jahren erreicht haben werden, wenn alles gut läuft. Was hat sich grundlegend verändert?

➤ Sehen Sie sich selbst als schönen, erfolgreichen Menschen. Wie sehen Sie aus, wenn Sie alles erreichen, was Sie sich vornehmen? Wie ist Ihre Ausstrahlung? Stellen Sie sich Ihre Gesichtszüge vor. Welche Kleidung tragen Sie? Wer ist bei Ihnen? Wichtig dabei ist, dass Sie sich nicht an Vorgaben aus dem Fernsehen oder Illustrierten orientieren, sondern Ihre ganz eigene Vorstellung entwickeln.

➤ Nehmen Sie dieses Bild von sich mit, wenn Sie nun die Rücknahme durchführen.

VORSATZFORMELN

Ich bin selbstbewusst, und ich gönne mir meinen Erfolg.

Jeden Tag verbessere ich mein Leben.

Mein Ziel erreiche ich dann, wenn es gut für mich ist.

Sachregister

Bücher und Adressen, die weiterhelfen

Bücher

Coué, Emile: **Autosuggestion. Die Kraft der Selbstbeeinflussung durch positives Denken;** Oesch Verlag 2004

Eberlein, Gisela: **Gesund durch Autogenes Training;** Ullstein 2004

Gerl, Wilhelm: **Moderne Hypnose. Hilfe durch das Unbewusste;** Trias 1998

Hennig, Marita: **Autogenes Training,** Buch und CD; Knaur 2003

Krapf, Günther: **Autogenes Training aus der Praxis;** Springer Verlag 1994

Krapf, Günther und Maria: **Autogenes Training. Ein Gruppenkurs;** Springer Verlag 2007

Lange, Dietrich: **Autogenes Training;** GRÄFE UND UNZER VERLAG 2005

Lindemann, Hannes: **Autogenes Training. Der bewährte Weg zur Entspannung;** Goldmann 2004

Revenstorf, Dirk und Zeyer, Reinhold: **Hypnose lernen;** Carl-Auer-Systeme Verlag 2009

Schultz, Johannes H.: **Das Original-Übungsheft für das Autogene Training. Anleitung vom Begründer der Selbstentspannung;** Trias Verlag 2010

Schultz, Johannes H.: **Das Autogene Training;** Thieme Verlag 2003

Adressen

Milton Erickson Gesellschaft für Klinische Hypnose e. V.
Waisenhausstraße 55
80637 München
www.meg-hypnose.de

Bei der Suche nach einem geeigneten Therapeuten kann Ihnen die Deutsche Gesellschaft für Ärztliche Hypnose und Autogenes Training e. V. weiterhelfen:

DGÄHAT
Postfach 1365
43416 Neues
www.dgaehat.de

Seriöse Therapeuten können Sie zudem bei Ihrer regionalen Ärztekammer erfragen.

Nach Möglichkeit sollte der »Eingriff des Autogenen Trainings«, wie ihn Professor Schultz bezeichnete, unter ärztlicher Ersteinführung und Anleitung während des Übens erfolgen, um eventuelle Verkrampfungen oder Fehleinstellungen zu vermeiden. Da es eine wissenschaftlich untersuchte und anerkannte Methode ist, bieten viele Ärzte Einführungskurse in das Autogene Training an. Sie können diese Entspannungsmethode auch an den Volkshochschulen erlernen.

WICHTIGER HINWEIS

Die Inhalte des vorliegenden Ratgebers wurden sorgfältig recherchiert und haben sich in der Praxis bewährt. Alle Leserinnen und Leser sind jedoch aufgefordert, selbst zu entscheiden, ob und inwieweit sie Übungsanleitungen und Anregungen aus diesem Buch umsetzen wollen. Autor und Verlag übernehmen keine Haftung für die Resultate.

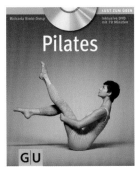

Impressum

© 2010 GRÄFE UND UNZER VERLAG GmbH, München Aktualisierte Neuausgabe von **Autogenes Training**, GRÄFE UND UNZER VERLAG 2002, ISBN 978-3-7742-5571-5
Alle Rechte vorbehalten. Nachdruck, auch auszugsweise, sowie Verbreitung durch Bild, Funk, Fernsehen und Internet, durch fotomechanische Wiedergabe, Tonträger und Datenverarbeitungssysteme jeder Art nur mit schriftlicher Genehmigung des Verlages.

Projektleitung: Corinna Feicht

Lektorat: Diane Zilliges, Wörthsee

Satz und Gestaltung: Christopher Hammond

Layout und Umschlaggestaltung: independent Medien-Design (Horst Moser)

Herstellung: Markus Plötz

Lithos: Repro Ludwig, Zell am See

Druck und Bindung: Print Consult, München

ISBN 978-3-8338-1973-5

3. Auflage 2011

Ein Unternehmen der
GANSKE VERLAGSGRUPPE

Bildnachweis

Cover und Fotoproduktion:
Johannes Rodach

Weitere Bilder: Corbis: 47, 57, 61
Getty: S. 3 oben, 8, 11, 27, 31, 40, 44/45, 53, 59, 65, 67, 73, 75
Mauritius: 48/49,
Plainpicture: 3 unten, 51, 69

CD

Musik: Musik komponiert und produziert von Thomas Schwaiger
Thomas Schwaiger: Programming, Synthesizers, Piano
Charly Hörnemann: Gitarren
Wolfgang Neumann: Gitarre
Frank Loef: Flöten
Loops courtesy of Spectrasonics Liquid Grooves
Sprecherin: Delia Grasberger
Aufgenommen, gemischt und gemastert von Dieter Kurz im Tonwerk Greifenberg
Ausführend produziert von Thomas Schwaiger für phonopool.
© + ℗ phonopool GmbH, Greifenberg, 2002

Syndication:
www.jalag-syndication.de

Die GU-Homepage finden Sie im Internet unter www.gu.de

Liebe Leserin und lieber Leser,

wir freuen uns, dass Sie sich für ein GU-Buch entschieden haben. Mit Ihrem Kauf setzen Sie auf die Qualität, Kompetenz und Aktualität unserer Ratgeber. Dafür sagen wir Danke! Wir wollen als führender Ratgeberverlag noch besser werden. Daher ist uns Ihre Meinung wichtig. Bitte senden Sie uns Ihre Anregungen, Ihre Kritik oder Ihr Lob zu unseren Büchern. Haben Sie Fragen oder benötigen Sie weiteren Rat zum Thema? Wir freuen uns auf Ihre Nachricht!

Wir sind für Sie da!
Montag–Donnerstag: 8.00–18.00 Uhr; Freitag: 8.00–16.00 Uhr
Tel.: 0180-5 00 50 54*   *(0,14 €/Min. aus
Fax: 0180-5 01 20 54*   dem dt. Festnetz/
E-Mail: Mobilfunkpreise
leserservice@graefe-und-unzer.de   maximal 0,42 €/Min.)

P.S.: Wollen Sie noch mehr Aktuelles von GU wissen, dann abonnieren Sie doch unseren kostenlosen GU-Online-Newsletter und/oder unsere kostenlosen Kundenmagazine.

GRÄFE UND UNZER VERLAG
Leserservice
Postfach 86 03 13
81630 München